szybki! Daj nam, d...

...radź, kapitanie

sto! Kiedy siły swe podwajasz

Kiedy siły swe pod...

sto! sto lat, sto lat, sto...

m na śniadanie złote rybki. Prowadź, pr...

to: Niech nam żyje Wielki Bajarz Sto lat, sto lat, sto lat, sto...

Podróże pana Kleksa

Jan Brzechwa

ilustrował
Suren Vardanian

Podróże Pana Kleksa

Wydawnictwo Skrzat
Kraków

Redakcja: Agnieszka Sabak
Korekta: Sylwia Chojecka
Ilustracje: Suren Vardanian
Skład: Aleksandra Kowal

ISBN 978-83-7437-904-5

Księgarnia Wydawnictwo Skrzat Stanisław Porębski
31-202 Kraków, ul. Prądnicka 77
tel. (12) 414 28 51
wydawnictwo@skrzat.com.pl

Odwiedź naszą księgarnię internetową:

www.skrzat.com.pl

Bajdocja

Działo się to w czasach, kiedy atrament był jeszcze zupełnie, ale to zupełnie biały, natomiast kreda była czarna. Tak, tak, moi drodzy, kreda była jeszcze wtedy kompletnie czarna. Łatwo sobie wyobrazić, ile z tego powodu wynikało kłopotów i nieporozumień. Pisało się białym atramentem na białym papierze i czarną kredą na czarnej tablicy. Tak, tak, moi drodzy, sami chyba rozumiecie, że napisane w ten sposób litery były całkiem, ale to całkiem niewidoczne. Gdy uczeń pisał wypracowanie, nauczyciel nigdy nie wiedział, czy kartki są zapisane, czy też niezapisane. Uczniowie wypisywali przeróżne głupstwa na papierze lub na tablicy, ale nikt nie mógł tego sprawdzić ani nawet zauważyć. Listy pisane w ten sposób były zupełnie nieczytelne, toteż mało kto pisywał je w tych czasach. Urzędnicy w biurach zapełniali pismem ogromne księgi, ale na próżno ktokolwiek usiłowałby odnaleźć w nich ślady liter lub cyfr. Po prostu były niewidoczne. I gdyby nie to, że istnieje w biurach z dawna zakorzeniony zwyczaj prowadzenia ksiąg, na pewno zaniechano by tej żmudnej i niepotrzebnej pracy.

Ludzie podpisywali się na rozmaitych papierach i dokumentach, chociaż doskonale wiedzieli, że nikt, nie wyłączając ich samych, podpisów tych nigdy nie odczyta i najwymyślniejsze nawet zakrętasy pójdą na marne. Ale ponieważ od niepamiętnych czasów podpisywanie się sprawiało ludziom ogromną przyjemność, nie zważali na to, że biały atrament jest niewidoczny na białym papierze. Tak, tak, moi drodzy, ci, co się podpisywali, nie przejmowali się zupełnie tym przykrym stanem rzeczy. I nie wiadomo, jak długo trwałby on jeszcze, gdyby nie pan Ambroży Kleks.

Sławny ten mędrzec, dziwak i podróżnik, uczeń wielkiego doktora Paj-Chi-Wo, założyciel słynnej Akademii, wylądował pewnego dnia całkiem przypadkowo w jednym z portów Półwyspu Bajkańskiego.

Po długich wędrówkach dotarł pan Kleks do Bajdocji, rozległego i bogatego kraju, leżącego na zachodnim wybrzeżu półwyspu. Łagodny charakter i gościnność Bajdotów, ich zamiłowanie do bajek, dzielność mężczyzn i uroda bajdockich dziewcząt zachęciły pana Kleksa do bliższego zapoznania się z językiem, życiem i obyczajami tego ludu.

Zamieszkał więc w stolicy państwa, Klechdawie, położonej u podnóża góry zwanej Bajkaczem. Większość mieszkańców Klechdawy zajmowała się hodowlą kwiatów, toteż miasto tonęło w zieleni i wyglądało jak czarodziejski ogród. Parki, cieplarnie i klomby usiane były kwiatami nieznanych i niespotykanych odmian.

Powietrze w Klechdawie, przesycone aromatem róż, lewkonii, jaśminów i rezedy, odurzało mieszkańców i tym zapewne tłumaczyć można ich niezwykłe zamiłowanie do układania bajek. W alejach i parkach bajkopisarze odziani w barwne stroje i uwieńczeni kwiatami opowiadali bajki tak niezwykłe, że nikt ze słuchaczy nie umiałby żadnej z nich powtórzyć.

Bajdoci mówili językiem bardzo podobnym do innych języków, z tą tylko różnicą, że nie znali i nie używali samogłoski „u". Tak, tak, moi drodzy, litera „u" nie była im zupełnie znana. Dlatego też „mur" po bajdocku posiadał brzmienie „mr", „ucho" po bajdocku było „cho", „mucha" – „mcha", „kura" – „kra" itd. Pan Kleks bardzo szybko podchwycił tę szczególną cechę języka Bajdotów i już po kilku dniach władał nim doskonale.

Klechdawianie mieszkali w małych, jednopiętrowych domkach, obrośniętych dookoła zielenią i kwiatami. Ich barwy i zapachy zwabiały niezliczone ilości motyli, które czyniły otaczający świat jeszcze barwniejszym. Śpiewy ptaków rozbrzmiewały tam od wczesnego świtu do późnego zmierzchu przez cały niemal rok, bowiem jesień i zima w Bajdocji trwały bardzo krótko. Zaledwie jeden miesiąc, pięć dni i dwie godziny.

Raz na dwadzieścia lat odbywał się zjazd wszystkich bajkopisarzy bajdockich, którzy wybierali spośród siebie Wielkiego Bajarza. Był nim, jak się łatwo domyślić, autor najpiękniejszej bajki. Przybyli na zjazd rozbijali namioty w Dolinie Tulipanów, które pachną najsubtelniej i odurzają mniej niż inne kwiaty. Wstępowali oni kolejno na wieżę wzniesioną w sercu doliny i wygłaszali po jednej ze swych bajek. Musieli mówić bardzo donośnie, tak aby wszyscy zebrani mogli ich słyszeć, toteż przez cały czas, dla wzmocnienia strun głosowych, odżywiali się tylko miodem i sokiem morwowym. Wszyscy słuchali

współzawodników z niesłabnącą uwagą, gdyż dla Bajdotów nie istniało nic piękniejszego i ciekawszego niż bajki.

Tak, tak, moi drodzy, bajki były dla nich czymś najważniejszym. Ponieważ Bajdocja miała bardzo, bardzo wielu bajkopisarzy, więc wygłaszanie bajek trwało od rana do wieczora przez dwa, a czasem nawet przez trzy miesiące. Ale zjazd taki odbywał się raz na dwadzieścia lat, słuchacze byli więc niezwykle cierpliwi, nikt nie zakłócał spokoju, a nawet rzadko kto kichnął, chyba że już w żaden sposób nie mógł się od tego powstrzymać.

Każdy z obecnych dostawał malutką gałkę z kości słoniowej, którą wręczał autorowi najpiękniejszej, jego zdaniem, bajki. Kto zebrał najwięcej gałek z kości słoniowej, zostawał Wielkim Bajarzem. Wręczano mu ogromne złote pióro, będące oznaką najwyższej władzy w Bajdocji, i wprowadzano go uroczyście przy dźwiękach muzyki do marmurowego pałacu, wznoszącego się na szczycie Bajkacza. Tam Wielki Bajarz zasiadał na misternie rzeźbionym fotelu z wonnego sandałowego drzewa i od tej chwili stawał się głową państwa bajdockiego na przeciąg dwudziestu lat i sprawował rządy przy pomocy siedmiu innych znakomitych bajkopisarzy, zwanych Bajdałami, czyli doradcami.

Cały naród czcił Wielkiego Bajarza i okazywał mu bezwzględne posłuszeństwo.

Najznakomitsi ogrodnicy przysyłali mu rzadkie odmiany kwiatów i najwonniejszy miód ze swoich pasiek. Na

pałacowych trawnikach młode tancerki bajdockie, na-
śladując motyle, odgrywały barwne pantomimy; najlepsi
muzycy, ukryci w cieniu drzew, na swoich instrumentach
o jednej srebrnej strunie, zwanych bajdolinami, naśla-
dowali szum wiatru, szmer strumienia, trzepot ptaków,
szelest liści i brzęczenie pszczół. Każdy starał się w miarę
swych sił uprzyjemnić, upiększyć i ubarwić życie Wielkiego Bajarza, aby pobudzić jego natchnienie.

Ale bajki, to największe bogactwo ludu bajdockiego,
ginęły nieutrwalone, nieprzekazane nie tylko innym na-
rodom, ale nawet potomnym we własnym kraju. Nikt
bowiem nie mógł ogarnąć pamięcią wciąż nowych bajek, a nie znano sposobu utrwalania ich na papierze,
gdyż atrament był biały. Tak, tak, moi drodzy, w tych czasach przecież nie znano jeszcze czarnego
atramentu.

Jeden z uczonych bajdoc-
kich po wielu latach pracy
obmyślił sposób wią-
zania supełków, które
odpowiadały poszcze-
gólnym literom i wyra-
zom.

Bajkopisarze jęli tedy za pomocą tego niezmiernie skomplikowanego systemu przenosić swe utwory na zwoje sznurków, a odpowiednio wyszkolone dziewczęta, przepuszczając supełki przez palce, umiały je odczytywać. Powstały niebawem liczne biblioteki, gdzie na półkach przechowywano kłębki sznurków powiązanych w różnorodne, misternie splątane supełki, podobnie jak dziś przechowuje się książki. Tysiące bajdockich bajek utrwalano w ten sposób, doprowadzając wiązanie supełków do coraz większej doskonałości.

Stało się jednak nieszczęście, którego nawet najmądrzejsi ludzie w Bajdocji nie mogli przewidzieć. Oto pewnego dnia, u schyłku lata, pojawił się nagle owad wielokrotnie mniejszy od komara, zwany supełkowcem, który żywił się tylko i wyłącznie supełkami. Rozmnażał się on z nadzwyczajną szybkością. Już po kilku godzinach chmary drobniutkich, prawie niewidzialnych szkodników przeniknęły do wszystkich bibliotek i zanim zdołano przedsięwziąć jakiekolwiek środki zaradcze, pożarły wszystkie supełki, skarb bajdockiego bajkopisarstwa.

Gdy przerażony Wielki Bajarz przybył wraz z Bajdałami do biblioteki narodowej w Klechdawie, zastał tam jedynie zwały pyłu i stosy drobniutkich muszek, napęczniałych z przejedzenia.

Wielki Bajarz zasiadł w swoim fotelu, zamyślił się głęboko i przez cały tydzień nie zajmował się sprawami pań-

stwa, a Bajdałowie na próżno usiłowali przypomnieć sobie bajki swego władcy, pożarte przez supełkowce. Potem zawarły się wszystkie okna marmurowego pałacu i przez długie miesiące trwała żałoba narodowa.

Skoro jednak Bajdoci otrząsnęli się ze swej straszliwej zgryzoty i wrócili do codziennych zajęć, uczeni zaczęli szukać innego sposobu utrwalania dzieł bajkopisarzy.

Ale nowe próby również zawiodły. Nikt nie potrafił wynaleźć sposobu nadania bajkom żywota trwalszego aniżeli żywot motyli unoszących się nad kwietnikami Klechdawy.

Działo się to za panowania Wielkiego Bajarza, który nazywał się Apolinary Mrk, co po polsku należy czytać Apolinary Mruk. Zyskał on sławę największego w dziejach Bajdocji bajkopisarza i lud czcił go bardziej niż wszystkich jego poprzedników.

Był to tłuściutki jegomość w wieku lat około pięćdziesięciu, na krótkich nóżkach, które nie sięgały do ziemi, gdy siadał na swoim urzędowym fotelu z drzewa sandałowego. Odznaczał się niezwykłą pogodą i dobrotliwością. Twarz miał okrągłą, bez zarostu, głowę łysą, okoloną wianuszkiem siwiejących włosów, maleńkie, śmiejące się oczki i nos przypominający czerwoną rzodkiewkę, która pozostała na talerzu tylko dlatego, że była ostatnia.

Raz w tygodniu Wielki Bajarz ukazywał się na balkonie marmurowego pałacu i opowiadał tłumom zgromadzonym w ogrodach swoją najnowszą bajkę. Ale bajki te były zbyt czarodziejskie, aby ktokolwiek zdołał je zapamiętać. Tak, tak, moi drodzy, były to bardzo dziwne i niezwykłe bajki. Toteż ludność Bajdocji nie mogła pogodzić się z faktem, że giną one natychmiast po ich opowiedzeniu, niedostępne dla mieszkańców innych miast i krajów.

Wtedy to właśnie w marmurowym pałacu na górze Bajkacz zjawił się pewnego dnia nieznany cudzoziemiec i oświadczył, że pragnie mówić z Wielkim Bajarzem.

Gdy wprowadzono go do sali, gdzie na fotelu z drzewa sandałowego zasiadł Wielki Bajarz Apolinary Mruk, dyndając w powietrzu krótkimi nóżkami, przybyły skłonił się przed majestatem talentu i rzekł:

– Dużo podróżowałem, dużo widziałem, a wiem jeszcze więcej. Słyszałem nieraz bajki Waszej Bajkopisarskiej Mości i na równi z ludem bajdockim ubolewam, że nie ma sposobu ich utrwalenia, aby natchniona twórczość Waszej Bajkopisarskiej Mości stała się dostępna mieszkańcom całego świata. Jeśli jednak wolno mi ofiarować swoje usługi i Wasza Bajkopisarska Mość zechce z nich skorzystać, podejmę się przed upływem roku dostarczyć barwnika, który atrament uczyni czarnym.

Wielki Bajarz otworzył szeroko oczy i usta, a nieznajomy ciągnął dalej:

– Znane mi są drogi prowadzące do złóż bezcennych składników czarnej i białej barwy i najdalej za rok mogę wrócić do Bajdocji obładowany nimi w ilości, która całkowicie zaspokoi potrzeby wszystkich bajkopisarzy tego kraju.

Wielki Bajarz z nadmiaru wzruszenia poczerwieniał, a potem zbladł. Wreszcie opanował się i zapytał:

– Czego żądasz w zamian, znakomity cudzoziemcze?

Ale cudzoziemiec uśmiechnął się pobłażliwie i rzekł z właściwą mu godnością:

– Wartościowe nagrody daje się robigroszom i obieżyświatom. My, uczeni, pragniemy tylko dobra ludzkości. Niechaj mi Wasza Bajkopisarska Mość odda do dyspozycji jeden ze swoich okrętów, doświadczonego kapitana i trzydzieści osób załogi. To wszystko. Resztę proszę pozostawić mojej przemyślności, wiedzy i doświadczeniu. Ufam, że zdołam dotrzymać obietnicy.

Wielki Bajarz raz jeszcze poczerwieniał i zbladł ze wzruszenia, zsunął się ze swego rzeźbionego fotela, objął nieznajomego i zawołał w uniesieniu:

– Czarny atrament!... Prawdziwy czarny atrament!... Szlachetny cudzoziemcze, powiedz mi, jak się nazywasz, abym mógł opowiedzieć o tobie memu ludowi.

Nieznajomy obciągnął surdut, przyczesał czuprynę wszystkimi pięcioma palcami, z lekka odchrząknął i rzekł:

– Od tego powinienem był zacząć. Jestem Ambroży Kleks, doktor filozofii, chemii i medycyny, uczeń i asystent słynnego doktora Paj-Chi-Wo, profesor matematyki i astronomii na uniwersytecie w Salamance.

Po tych słowach wyprostował się i stał z dumnie podniesioną głową, lewą dłonią głaszcząc brodę.

– Dziś jeszcze wydam wszystkie niezbędne polecenia i rozkazy, a jutro osobiście dopilnuję w porcie ich wykonania – rzekł Wielki Bajarz ze łzami w oczach.

Nazajutrz, o pierwszej po południu z klechdawskiego portu odbił nowiutki, świetnie wyposażony trójmasztowiec „Apolinary Mrk".

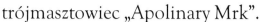

W porcie stał Wielki Bajarz i trzykrotnym salutem z piętnastu moździerzy żegnał pana Kleksa, wyruszającego w osobliwą i pełną przygód podróż.

Tak, tak, moi drodzy, widzicie – ta czarna, już ledwie dostrzegalna w oddali postać na szczycie koronnego masztu to pan Ambroży Kleks.

Życzymy znakomitemu podróżnikowi pomyślnej wiei i spokojnego morza.

Cisza morska

Wiatr południowo-wschodni wydymał żagle i okręt, ślizgając się po falach, mknął ku nieznanym lądom, których z bocianiego gniazda wypatrywał pan Kleks.

Miał na nosie okulary własnego wynalazku. Zamiast zwykłych cienkich szkieł tkwiły w nich szklane jaja, pokryte dookoła mnóstwem wklęsłych kuleczek. W środku każdego ze szklanych jaj, podobnie jak w plastrze miodu, pełno było misternie szlifowanych sześcianów i stożków. Dzięki tym okularom pan Kleks widział o wiele, wiele dalej niż przez najdłuższą lunetę.

Wymachując energicznie rękami, pan Kleks wskazywał kierunek i co chwila wykrzykiwał nazwy dostrzeżonych na bezkresie przylądków, portów i wysp.

Tak, tak, moi drodzy, było to wprost zdumiewające, jak niezwykle daleko widział pan Kleks przez swoje okulary.

Mewy, przerażone jego zachowaniem i wyglądem, trzymały się w znacznej odległości od okrętu. Załoga, chroniąc się przed słonecznym skwarem, spędzała dni pod pokładem. Wszyscy byli nieustannie głodni i pomstowali na kucharza. Nikt sobie z nim nie mógł poradzić. Jako rodowity Bajdota, kucharz Telesfor był bajkopisarzem, a kiedy układał bajki, popadał w tak głębokie zamyślenie, że zapominał o patelniach i rondlach. Jeśli który z kuchcików, pragnąc ratować przypalające się potrawy, przerywał mu natchnienie, Telesfor wpadał w okropny gniew i cały obiad wyrzucał do morza. Wkrótce jednak uspokajał się, przepraszał kapitana za swoją porywczość i brał się do gotowania obiadu od początku. Niestety stale działo się tak, że posiłki były albo przypalone, albo też służyły za żer morskim rybom i delfinom. Wszyscy jednak cierpliwie znosili dziwactwa Telesfora, gdyż jego bajki zawierały opisy tak wspaniałych uczt, że nawet zwykłe suchary nabierały smaku wybornej pieczeni.

Kapitan okrętu także układał bajki. Za temat służyły mu przeważnie przygody żeglarzy i nigdy nie było wiadomo, czy prowadzi okręt do rzeczywistego celu podróży, czy też do wymyślonych i nieistniejących lądów. Niekiedy sam nie mógł się już połapać, gdzie kończy się bajka, a zaczyna rzeczywistość. Wtedy okręt błąkał się po bezgranicznych obszarach mórz i nie mógł trafić do miejsca przeznaczenia.

Tylko sternik, stary wilk morski, nie był bajkopisarzem i słynął niegdyś jako niezrównany żeglarz. Odkąd

jednak w walce z korsarzami postradał wzrok, sterował okrętem na chybił trafił.

W tych warunkach pan Kleks musiał uważać zarówno na kapitana, jak i na sternika, a w porze obiadowej wyręczał często kucharza, gdyż znał się na kuchni nie gorzej niż na gwiazdach.

Wkrótce załoga nabrała do pana Kleksa tak wielkiego zaufania, że marynarze spali albo grali w kości i tylko od czasu do czasu spoglądali na bociane gniazdo, żeby przekonać się, czy pan Kleks czuwa. Z czasem nawet mewy oswoiły się z dziwaczną postacią pana Kleksa, siadały mu na ramionach, skubały brodę i skrzecząc, przedrzeźniały jego głos.

W chwilach wolnych od zajęć pan Kleks wprost z bocianiego gniazda łapał w siatkę na motyle latające ryby, które potem smażył na kolację dla całej załogi.

Dziewiętnastego dnia podróży kapitanowi popsuła się busola. Pan Kleks z jednej z kieszeni swej kamizelki wydobył ogromny magnes, którym natarł sobie brodę. Odtąd wskazywała ona kierunek i była stale zwrócona na północ, aczkolwiek mewy szarpały ją zawzięcie na wschód, zachód i południe.

Od czasu do czasu pan Kleks stawał w swoim bocianim gnieździe na jednej nodze, rozpościerał ramiona jak skrzydła i w tej pozycji oddawał się krótkiej drzemce, gdyż nie uznawał sypiania w nocy. Po kilkunastu minutach budził się wypoczęty, wkładał na nos okulary o jajowatych szkłach i wołał:

– Kapitanie, zboczyliśmy z kursu o półtora stopnia, musimy skręcić na północny wschód, a potem trzymać się dokładnie kierunku mojej brody.

– Co pan widzi? – wołał w odpowiedzi kapitan, zadzierając brodę do góry.

– Widzę Cieśninę Złych Przeczuć i Archipelag Świętego Paschalisa. Na wyspie Rabarbar stoi latarnia morska, widzę na niej latarnika, a na jego nosie cztery piegi... Ale dzieli nas jeszcze odległość sześciuset czterdziestu mil morskich i wątpię, abyśmy dotarli tam wcześniej niż za trzy miesiące.

– A czy nie widać przypadkiem w pobliżu jakiegoś korsarskiego statku?

– Owszem, widać, ale nic nam nie grozi. Statek ma poszarpane żagle i na pokładzie nie ma żywego ducha.

Następnie pan Kleks zdejmował z nosa cudowne okulary i wołał z całych sił, aby przekrzyczeć mewy:

– A co z obiadem?

Tutaj kapitan przeważnie załamywał ręce, a potem, przykładając do ust dłonie złożone w trąbkę, wołał:

– Telesfor przypalił... Jest nie do jedzenia. Nawet rekiny nie chciały tego jeść.

Sternik, przysłuchując się rozmowie, nastawiał wskazany przez pana Kleksa kierunek, gryzł suchary i zrzędził:

– Jeśli nie wrzucimy Telesfora do morza, czeka nas śmierć głodowa... Przypalił już dzisiaj dwadzieścia funtów baraniny, cały zad cielęcy i cztery perliczki... A bajki i suchary to nie jest pożywienie dla przyzwoitego człowieka.

Tak upływał tydzień za tygodniem. Aż nagle, w dniu świętego Pankracego wiatr ustał. W dniu świętego Serwacego nastąpiła na morzu zupełna cisza i żaglowiec stanął nieruchomo w miejscu. A w dniu świętego Bonifacego pan Kleks opuścił bociane gniazdo, ześlizgnął się po maszcie na pokład i oznajmił:

– Wpakowaliśmy się w strefę martwego wiatru. Możemy spokojnie spać aż do końca maja.

Po tych słowach stanął na jednej nodze i natychmiast zasnął.

Kapitana i załogę ogarnęło przerażenie.

Wiadomo, że strefa martwego wiatru powstaje wskutek olbrzymich szczelin w dnie morskim. Szczeliny takie wsysają znajdujący się nad nimi słup wody, od dna aż do powierzchni, wraz ze wszystkim, co się na tej powierzchni znajduje.

– Musimy co prędzej uciec z tego fatalnego miejsca, inaczej będziemy zgubieni – rzekł kapitan i wydał rozkaz, aby spuszczono łodzie ratownicze.

Ale marynarze, ufni w mądrość i wiedzę pana Kleksa, wzięli się za ręce i otoczyli go, śpiewając chórem pieśń zaczynającą się od słów: „Ojciec Wirgiliusz kochał dzieci swoje...".

Słońce stało się czerwone, niebo było jakby w płomieniach. Słoneczny poblask kładł się purpurą na skrzydłach mew, które, przerażone własnym widokiem, krążyły ponad głową pana Kleksa i rozpaczliwie skrzeczały.

Kapitan wykrzykiwał wciąż nowe rozkazy, ale nikt ich nie wykonywał. W końcu ochrypł, usiadł na zwoju lin okrętowych i szklanym wzrokiem patrzył na tańczących marynarzy.

A pan Kleks, stojąc na jednej nodze, z rozcapierzonymi rękami i z brodą skierowaną na północ, spał najspokojniej.

Śpiew przerażonych marynarzy wzmagał się z każdą chwilą, aż przeobraził się w nieopisany ryk. Ale martwa cisza przenikała do szpiku kości i nie można jej było niczym zagłuszyć, jak również nie można było obudzić pana Kleksa.

Ponieważ cała uwaga skupiona była na osobie śpiącego uczonego, nikt nie spostrzegł, że okręt powoli zaczął zapadać w głąb.

Zgroza osiągnęła swój szczyt.

Ale w tej właśnie chwili pan Kleks ocknął się i widząc nadciągającą katastrofę, zawołał donośnym głosem:

– Wszyscy pod pokład! Zasunąć drzwi i uszczelnić otwory! Żwawo! I nie bać się! Jestem z wami.

Marynarze, tłocząc się i popychając, zbiegli na dół. Ostatni zszedł kapitan i zatrzasnął za sobą klapę. Pan Kleks wydawał zarządzenia, które załoga wykonywała z błyskawiczną szybkością. Nawet kucharz zapomniał o swoich bajkach i na równi z innymi zabrał się do pracy. Nie było słychać rozmów ani sprzeczek. Marynarze ze zwinnością kotów przebiegali kajuty i zabezpieczali wnętrze okrętu przed zalewem. Pan Kleks, zaczepiony ręką o belkę pułapu, kołysał się nad ich głowami i pilnie baczył, aby rozkazy były ściśle wykonane. Tylko kuchcik Pietrek, najmłodszy ze wszystkich, nie mógł wytrzymać z ciekawości. Przylgnął twarzą do szyby okienka okrętowego i wpatrywał się w przedziwne obrazy, które jak w kalejdoskopie przesuwały się przed jego oczami.

Okręt wraz ze słupem wody wolno i łagodnie zapadał się w dół i Pietrek miał wrażenie, jak gdyby zjeżdżał windą. Ściany wodne tworzyły studnię dookoła okrętu. Niebo u wylotu tej studni stało się teraz czarne jak w nocy i migotało gwiazdami.

Pietrek z najwyższym zdumieniem obserwował niezrozumiałe zjawisko: otwór studni nie zamykał się nad okrętem, tak jakby ściany dokoła były nie z wody, lecz ze

szkła. Zresztą nie tylko kuchcik Pietrek, ale w ogóle nikt, z wyjątkiem pana Kleksa, nie mógł i nigdy nie będzie mógł tego pojąć.

Tymczasem okręt zapadał się coraz głębiej, a przed okrągłym okienkiem przesuwały się dziwy morskie, znane tylko uczonym badaczom i bajkopisarzom.

Początkowo widać było jedynie wodorosty, zwierzokrzewy i ryby rozmaitej barwy i kształtu, ale w miarę zanurzania się okrętu widoki stawały się coraz bardziej niezwykłe.

Głębię wód rozjaśniały zielonkawym światłem gwiazdy morskie, poszczepiane ze sobą w długie, wirujące łańcuchy. Jeże i koniki morskie fosforyzowały żółtoniebieskim blaskiem. W tej migocącej poświacie działy się rzeczy zapierające dech.

Wielkie skrzydlate ryby o dwóch przednich bawolich nogach toczyły zaciętą walkę ze stadem dwugłowych żarłocznych trytonów. Ryby-nosorożce, ryby-piły, ryby-torpedy raz po raz rzucały się w wir walczących i zadawały im śmiertelne ciosy. Od czasu do czasu przepływały muszle, których jedyną zawartość stanowiło wielkie oko. Muszle otwierały się, oko badawczo rozglądało się dokoła i szybko płynęło dalej.

Wkrótce obraz się zmienił. Pojawiły się włochate łby morskie, które pan Kleks nazywał karbandami. Łby szczerzyły zęby, złożone z samych kłów, i wysuwały niezmiernie długie jęzory, zakończone pięcioma pazurami.

Wyłupiaste ślepia karbandów okolone były rzęsami z kościanych ości, nos przypominał lwi ogon, a uszy poruszały się w wodzie szybko jak dwa wiosła.

Pływające krzewy i kwiaty przerażały swoimi rozmiarami. Kielichy lilii morskich były tak ogromne, że dorosły człowiek mógł pomieścić się w nich bez trudu. Ale na szczęście same usuwały się z drogi. W liliach mieszkały karliczki morskie o małych dziewczęcych twarzyczkach osadzonych na zielonych pękatych arbuzach. Te biedne istoty, na wpół dziewczęta, a na wpół owoce, przyrośnię-

te były do wnętrza lilii długimi łodygami, zwiniętymi na podobieństwo sprężyn, co pozwalało im wyłaniać się i oddalać na niewielką odległość.

Z konarów pływających drzew koralowych zwieszały się potwory podobne do kameleonów i wyrzucały z kolorowych pysków ogniste pociski, które rozrywały się z wielką siłą, szerząc dokoła zniszczenie.

Jeden z takich pocisków ugodził w pokład okrętu, wzniecając pożar, ale marynarze wspólnymi siłami zdołali go szybko ugasić.

Po skończonej pracy pan Kleks przywołał wszystkich do okien, objaśniał im niepojęte zjawiska morskich głębin i wymieniał nazwy przesuwających się roślin, płazów, zwierząt i potworów morskich.

– Patrzcie! – wołał pan Kleks. – Te ośmiornice mogłyby zmiażdżyć słonia jak muchę. A te opancerzone kule nazywają się termidele. Wylęgają się z nich żar-ptaki. Co trzy miesiące termidele wypływają na powierzchnię morza i za każdym razem wypuszczają nowe ptaki na świat. A tam, widzicie, to jest tak zwany amalikotekotendron. Żywi się własnym ogonem, który mu nieustannie odrasta. Obecność jego wskazuje na to, że zbliżamy się do dna morskiego. A teraz – uwaga! Patrzcie... Te dziwaczne stwory to są atramentnice. Wydzielają czarny barwnik, z którego można spreparować czarny atrament. Domyślacie się teraz, dlaczego was tu przywiozłem? Zdobędziemy czarny atrament i zawieziemy go do Bajdocji.

Wszyscy z zaciekawieniem przyglądali się atramentnicom, gdy naraz okręt dotknął dna morskiego i oczom podróżników ukazały się ulice zabudowane rzędami bursztynowych kopuł. Dziwne te budowle, przypominające ogromne kretowiska, nie posiadały ani drzwi, ani okien. Jakby na umówiony znak niezliczone kopulaste pokrywy zaczęły powoli unosić się w górę. Ale zanim jeszcze pan Kleks i jego towarzysze zdołali cośkolwiek dojrzeć, okręt zapadł się w szczelinę ziejącą w morskim dnie, szczelina zasklepiła się nad nim, a masy wód, utrzymujące się dotąd nieruchomo jak ściany studni, runęły na to miejsce z ogłuszającym łoskotem i hukiem. We wnętrzu okrętu zapanowała ciemność.

Marynarzy ogarnęła paniczna trwoga. Jedni wzywali pomocy, inni złorzeczyli panu Kleksowi. Kucharz Telesfor przeklinał wszystkich kuchcików świata, gdyż spod ręki zginęły mu zapałki. Powstało ogólne zamieszanie i ludzie kotłowali się po ciemku, jak raki w worku.

Wreszcie rozległ się tubalny głos pana Kleksa, który doskonale widział w ciemności i znał się na wszelkich tajemniczych sprawach.

– Kochani przyjaciele! – wołał pan Kleks. – Uspokójcie się, bo przypominacie mi stado małp podczas pożaru lasu. Sądzę jednak, że nie jesteście małpami, skoro umiecie tak świetnie kląć i złorzeczyć. Zauważyliście już chyba, chociażby po mojej czuprynie, że nie mam głowy kapuścianej i że jestem dość mądry na to, aby wybaczyć wam niestosowne zachowanie.

– Zamilczcie już, do licha! – krzyknął gniewnie kapitan.

Gdy zaś marynarze uciszyli się wreszcie, pan Kleks ciągnął dalej:

– Za chwilę wyjdziemy na pokład. Zobaczycie różne dziwne rzeczy. Niczego nie potrzebujecie się obawiać, pamiętajcie tylko o jednym: stosujcie się do moich rozkazów i naśladujcie mnie we wszystkim. W każdym bądź razie ostrzegam was, abyście nie pili żadnych napojów, którymi będą was częstowali mieszkańcy tego nieznanego kraju. To jest najważniejsze! Czyście zrozumieli?

– Zrozumieliśmy! – zawołali chórem marynarze.

– No to chodźcie ze mną – rzekł pan Kleks i przeskakując po kilka stopni, wyszedł na pokład, prowadząc za sobą kapitana i załogę.

Przed ich oczami rozpostarł się rozległy widok, zbliżony raczej do bajki niż do rzeczywistości.

Abecja

Okręt stał na olbrzymim placu, zalanym zielonkawym światłem. Po obu stronach nieskończenie długim
szeregiem stały inne okręty rozmaitego kształtu i wielkości, poczynając od potężnych galer wojennych, wyposa-
żonych w armaty i kartaczownice, a kończąc na małych
rybackich łodziach. Podpierały je z boków bursztynowe
belki i przypadkowy widz mógł odnieść wrażenie, że
znajduje się na wystawie albo na targu okrętów.

W górze bardzo wysoko biegł pułap wyłożony musz-
lami, pomiędzy którymi w równych odstępach widniały
okrągłe otwory, zamknięte klapami z bursztynu.

Plac, którego granice ginęły w odległym półmroku,
pokryty był malachitowymi płytami, pośrodku zaś,
w ogromnym basenie, wesoło pluskały się atramentnice.

Dokoła okrętu uwijały się postacie, które nie przy-
pominały ani ludzi, ani zwierząt, natomiast kształtem

swym zbliżone były raczej do wielkich pająków. Ich kuliste kadłuby, wsparte na sześciu rękach zakończonych
ludzkimi dłońmi, poruszały się w szybkich pląsach
z niepospolitą zręcznością. Z każdego kadłuba wyrasta-
ła mała, wirująca główka, zaopatrzona w jedno czujne,
okrągłe oko. Po obu bokach górnej części kadłuba widniały dwa otwory przypominające usta. Jedne z tych ust
wymawiały dźwięk „a", drugie zaś – „b". Przysłuchując
się pilnie, można było zauważyć, że rozmaite kombina-
cje tych dwóch dźwięków, wymawianych na przemian
to jednymi, to drugimi ustami, stanowią mowę dziwacz-
nych podmorskich istot.

Pan Kleks już po kilku minutach nauczył się rozróż-
niać poszczególne wyrazy, jak na przykład: aa, ba, abab,
baab, baabab, babaab, ababab, baba, abba i bbaa i tak
dalej, a po upływie godziny mógł swobodnie porozumiewać się z Abetami, tak bowiem, zgodnie z właściwo-
ściami ich mowy, nazywali się mieszkańcy tego kraju.

Abeci z natury byli bardzo łagodni i okazywali przy-
byszom najdalej posuniętą uprzejmość. Z rozmów
z nimi pan Kleks dowiedział się wielu ciekawych szcze-
gółów ich życia. Niektórzy z nich, otaczani szczególną
czcią przez pozostałych Abetów, posiadali siódmą rękę,
uzbrojoną w stalowe szpony. Tym Abetom wolno było
raz na dzień przez bursztynowe klapy wyruszyć w morze
na połów. Umieli pływać szybciej aniżeli mieszkańcy głębin morskich, a uzbrojona siódma ręka służyła zarówno

do ataku, jak i do obrony. Z wypraw i polowań wracali obładowani zdobyczą, którą dzielono sprawiedliwie pomiędzy wszystkich mieszkańców Abecji. Abeci żywili się rybami, meduzami, wszelkiego rodzaju skorupiakami, a jako napój służyło im czarne mleko atramentnic lub wywar z korali. Do gotowania używali bursztynowych maszynek oraz bursztynowych piecyków, ogrzewanych prądem czerpanym z ryb elektrycznych.

– A skąd macie tu powietrze? – zapytał pan Kleks, oddychając pełną piersią.

– Kraj nasz – odrzekł jeden z Abetów – łączy się długim kanałem z Wyspą Wynalazców. Stamtąd płynie do nas powietrze niezbędne dla naszego istnienia. Mieszkańcy wyspy znają drogę i często przychodzą do Abecji, ale żaden z nas nie odważył się nigdy wyjść na powierzchnię ziemi, gdyż światło słońca i księżyca zabiłoby nas natychmiast.

Po krótkiej rozmowie Abeci, przeskakując zwinnie z ręki na rękę, zaprowadzili gości do sali, gdzie rozłożone były materacyki z trawy morskiej, a na bursztynowych stolikach stały ozdobne naczynia z kości wielorybich, z muszli i malachitu.

Abetki, przystrojone w korale i perły, w fartuszkach uplecionych z wodorostów, wniosły tacki z potrawami oraz napoje w bursztynowych dzbanach. Posługiwały się przy tym tylko dwiema rękami, a pozostałe cztery, które służyły im do chodzenia, obciągnięte były ni to rękawiczkami, ni to trzewiczkami ze skóry rekina.

Goście byli głodni i z apetytem zabrali się do jedzenia. Najbardziej smakowały im pieczone meduzy w sosie z lilii morskich, duszone płetwy wieloryba i sałatka z ośmiornicy.

Pamiętając przestrogę pana Kleksa, nikt nie tknął proponowanych napojów, aczkolwiek wszystkich dręczyło pragnienie. I chociaż wino koralowe nęciło swoją czerwienią, kapitan wysłał kuchcików na okręt po wodę i owoce.

Marynarze prowadzili z Abetami ożywione rozmowy na migi, co – zwłaszcza gospodarzom posiadającym po trzydzieści palców – przychodziło z łatwością.

Niekiedy korzystano z pomocy pana Kleksa jako tłumacza. Okazało się, że to właśnie inżynierowie abeccy, przy użyciu skomplikowanych urządzeń technicznych i przy pomocy mieszkańców Wyspy Wynalazców, skonstruowali gigantyczną zapadnię w dnie morskim, aby porywać przejeżdżające okręty.

– Nie żywimy złych zamiarów względem ludzi – rzekł jeden z Abetów, uśmiechając się obojgiem ust równocześnie. Chodzi nam tylko o to, aby od żeglarzy uczyć się wiedzy i mądrości ludzkiej. Dzięki nim nauczyliśmy się rzemiosł, poznaliśmy dzieje podwodnego świata, dowiedzieliśmy się o słońcu i o gwiazdach, o okrutnych wojnach, które ludzie prowadzą między sobą, o dziwnych zwierzętach i roślinach ziemskich. Najbardziej jednak wdzięczni jesteśmy ludziom za to, że nauczyli nas wydobywać ciepło z ryb elektrycznych.

– A czy ludzie nigdy was nie skrzywdzili? – zapytał pan Kleks.

– Nie mieli powodu – odrzekł Abeta. – Wiedzą doskonale, że tylko z naszą pomocą mogą się stąd wydostać, my zaś nikogo nie chcemy więzić wbrew jego woli.

Wniesiono nowe potrawy, ale nikt już nie mógł ich jeść. Tylko kucharz Telesfor, znany z łakomstwa, nałożył sobie dużą porcję pieczeni z trytona, szpikowanej słoniną jeża morskiego, i pałaszował ją z apetytem. Potrawa była ostra i budziła pragnienie. Telesfor łapczywie porwał ze stołu muszlę napełnioną koralowym winem i wychylił ją duszkiem. Poczuł piekący smak w ustach i zanim zorientował się w popełnionym głupstwie, popadł w głęboki sen. Abeci nie ukrywali swojej radości, ale pan Kleks posmutniał i rzekł do towarzyszy podróży:

– Straciliśmy Telesfora. Zostanie tu już na zawsze.

Istotnie, gdy po pewnym czasie podróżnicy postanowili opuścić Abecję, Telesfor oświadczył, że pozostaje w tym kraju, gdyż czuje się Abetą i nie zniósłby odtąd widoku słońca ani księżyca. Zresztą, od chwili gdy się przebudził, doskonale mówił po abecku i pląsał na czworakach z zadziwiającą zręcznością.

Takie to było działanie koralowego wina.

Po obiedzie pan Kleks z nietajoną ciekawością zaczął wypytywać o atramentnice, które były przecież głównym celem tej podróży. Pragnął zbadać barwę i gęstość ich mleka, aby przekonać się, czy posiada właściwości czarnego atramentu.

Nasz uczony objawiał niesłychane ożywienie. Biegał dokoła basenu i gwiżdżąc na dwa głosy, wabił atramentnice, które szybko się z nim oswoiły, lgnęły do jego rąk zanurzonych w wodzie i łasiły się do niego jak koty. Wydawały przy tym dźwięki przypominające skrzypienie szafy.

Pan Kleks cieszył się jak dziecko. Zdjął z głowy kapelusz i raz po raz napełniał go czarną cieczą, lubując się jej barwą i połyskiem. Wreszcie z napełnionym kapeluszem udał się na pokład okrętu, a po chwili wrócił, wymachując z daleka arkuszem papieru, na którym widniały napisy, rysunki i kleksy.

Nie było żadnej wątpliwości. Mleko atramentnic znakomicie nadawało się do pisania. Toteż pan Kleks polecił załodze opróżnić wszystkie beczki znajdujące się na okręcie i napełnić je atramentowym mlekiem.

Abeci z ciekawością przyglądali się niezrozumiałym dla nich zabiegom pana Kleksa i uśmiechali się uprzejmie obojgiem ust.

– Patrzcie! – wołał pan Kleks. – Cóż za gęstość! Z jednej szklanki płynu można otrzymać sto flaszek doskonałego atramentu. Wielki Bajarz będzie mógł utrwalić swoje piękne bajki. Każdy będzie mógł pisać czarnym atramentem. Pozyskacie wdzięczność całego narodu. Niech żyją atramentnice!

Bajdoci skakali z radości. Kapitan, nie tracąc czasu, zabrał się do pisania nowej bajki. Po napełnieniu dwunastu beczek atramentowym mlekiem marynarze odśpiewali bajdocki hymn narodowy, zaczynający się do słów: „Chwalmy Wielkiego Bajarza, co nas bajkami obdarza".

Tylko kucharz Telesfor siedział na uboczu i mówił po abecku sam do siebie:

– Zostanę tu już na zawsze. Chcę być Abetą do końca życia. Będę pił koralowe wino i czarne mleko. Będę
wymyślał dla Abetów nowe potrawy z gwiazd morskich
i z wodorostów. Otóż to właśnie. Tra-la-la!

Pan Kleks przyglądał mu się z wyrazem głębokiego
współczucia. Znał działanie koralowego wina, wiedział

więc, że dla Telesfora nie ma już ratunku. Istotnie, Telesfor na oczach wszystkich zaczął się kurczyć i ku ogólnemu zdumieniu pod wieczór przeistoczył się w prawdziwego Abetę.

– Straciliśmy kucharza – rzekł pan Kleks – ale za to zyskaliśmy atrament. Możemy wracać do Bajdocji.

Następnie przemówił do Abetów:

– Kochani przyjaciele! Poznaliśmy waszą wspaniałomyślność i jesteśmy przekonani, że pozwolicie nam wsiąść na okręt i wrócić do naszej ojczyzny. Dziękujemy wam za gościnność i za cudowne atramentowe mleko. Żegnamy was w imieniu własnym oraz wszystkich moich towarzyszy podróży. Ababa, abaab, abbab!

Ten końcowy okrzyk w języku abeckim oznaczał: „Niech żyje Abecja!".

– O waszym losie zadecyduje królowa Aba – oświadczył jeden z Abetów. – Mamy rozkaz, aby was do niej przyprowadzić. Chodźcie. Trzeba uszanować jej wolę.

Pan Kleks uważał to za zbędną stratę czasu, ale dobre wychowanie, a zwłaszcza dociekliwość badacza wzięły górę nad pośpiechem. Udali się przeto za swym przewodnikiem.

Wędrówka przez kręty korytarz trwała już dobrą godzinę, gdy naraz ukazał się jego wylot i podróżnicy stanęli jak wryci, olśnieni wspaniałym i nieoczekiwanym widokiem. Znaleźli się bowiem nad jeziorem, którego przeciwny brzeg ginął na odległym horyzoncie. Woda w jeziorze była przezroczysta jak szkło i miała barwę lazuru.

Na wybrzeżu, dokoła jeziora, w równych odstępach wznosiły się ciosane w bursztynie wysokie grobowce zmarłych królów Abecji, a na każdym z nich stał żar-ptak, jaśniejąc płomieniem swych piór aż po kres widnokręgu. U stóp grobowców, pośród karłowatych pąsowych krzewów, złote i srebrne pająki snuły pracowicie swoją nić, zamykając dostęp do jeziora.

Z dala od brzegu, na pływającej wyspie, mieszkała królowa Aba. Spoczywała na wielkiej muszli, dźwiganej stale przez siedmiu siedmiorękich Abetów.

Na powitanie przybyłych wyspa podpłynęła do brzegu i królowa uniosła się na muszli. Na jej widok nawet pan Kleks nie zdołał powstrzymać okrzyku zdumienia. Zamiast spodziewanego stwora o sześciu rękach i jednym oku żeglarze ujrzeli młodą, piękną kobietę, która obdarzyła ich skinieniem dłoni i wdzięcznym uśmiechem. Abeci na znak czci pokładli się na ziemi, Bajdoci pochylili głowy, a pan Kleks, nie tracąc przytomności umysłu, wygłosił w języku abeckim okolicznościowe przemówienie, wyrażając w nim hołd i podziw dla pięknej królowej.

W odpowiedzi na słowa pana Kleksa królowa Aba, posługując się płynnie jego ojczystą mową, odrzekła:

– Nie należę do dynastii wielkich królów Abecji. Objęłam panowanie na prośbę tego ludu przed siedmioma laty. Byłam żoną króla Palemona, władcy wesołej i słonecznej Palemonii. Pewnego dnia podczas podróży okręt nasz zapadł się podobnie jak wasz. Po wypiciu koralowego wina mój małżonek oraz wszyscy nasi dworzanie przeobrazili się w siedmiorękich Abetów i musieli pozostać na zawsze w tym kraju. Ja jedna tylko nie piłam czarodziejskiego trunku i zachowałam ludzką postać. Poprzedni król Abetów, Baab-Ba, tak się tym przeraził, że zamknął się w przeznaczonym dla niego grobowcu, lud zaś obwołał mnie królową. Przyjęłam ofiarowaną mi godność, gdyż nie chciałam opuszczać mego małżonka. Przybrałam abeckie imię Aba i zamieszkałam na królewskiej wyspie w otoczeniu Palemończyków przemienionych w Abetów. Pogodziłam się z moim losem i pokochałam moich podwładnych. Jeśli złożycie mi przyrzeczenie, że o naszych dziejach nie zawiadomicie królestwa Palemonii, pozwolę wam opuścić Abecję i udać się do ojczystego kraju.

– Przyrzekamy! – zawołał uroczyście pan Kleks.

– Przyrzekamy! – powtórzyli za nim Bajdoci, a kapitan, nie mogąc opanować wzruszenia, urzeczony urodą królowej, pobiegł w kierunku wyspy. Zaplątał się jednak w pajęczynach i dopiero przy pomocy Abetów wywikłał się z sideł.

– Nikomu nie wolno zbliżać się do mnie. Takie jest abeckie prawo! – rzekła groźnie królowa Aba, po czym dodała: – A teraz moi strażnicy odprowadzą was do Wielorybiej Grani i przekażą przewodnikom z Wyspy Wynalazców.

– A nasz okręt?! – zawołał pan Kleks.

– Okręt? – zdziwiła się królowa. – Zostanie tutaj, gdyż nie znamy jeszcze sposobu podniesienia go na powierzchnię morza. Ale nie będziecie skrzywdzeni. Oto garść pereł, których wartość wielokrotnie przewyższa poniesioną przez was stratę.

Mówiąc to, rzuciła do nóg pana Kleksa woreczek z rybich łusek, wypchany perłami.

Zanim jednak pan Kleks zdążył zbadać jego zawartość i podziękować królowej Abie za hojność, piękna władczyni Abecji rzekła rozkazującym tonem:

– Posłuchanie skończone!

W tej chwili wszystkie żar-ptaki zgasły równocześnie i dokoła zapanowała ciemność. Tylko królewska wyspa, odpływająca, od brzegu jarzyła się błękitnawym światłem.

Abeci otoczyli podróżników i szerokim korytarzem, wyłożonym płytami z bursztynu, poprowadzili ich w kierunku Wielorybiej Grani.

Dudnienie beczek z atramentowym płynem rozlegało się na wszystkie strony wielokrotnym echem, utrudniając rozmowę. Dlatego też zarówno Bajdoci, jak i Abeci szli w milczeniu, zajęci swoimi myślami.

Ale najbardziej zamyślony był pan Kleks.

Szarpał nerwowo brwi i raz po raz wykrzykiwał abeckie wyrazy, pozbawione wszelkiego związku:

– Abba-ababa-aba-bba!

Abeci, nie chcąc przerywać jego zamyślenia, dreptali w pewnym oddaleniu i szeptem porozumiewali się między sobą.

Kiedy po paru godzinach marszu, u wylotu korytarza zamajaczyło czerwone światło, jeden z Abetów wybiegł na czoło pochodu, skinieniem dłoni zatrzymał Bajdotów i rzekł:

– Za tym murem kończy się nasze panowanie. Za chwilę opuścicie Abecję. W imieniu mego narodu żegnam was i życzę dalszych pomyślnych i ciekawych przygód. Spotkało nas wielkie szczęście, że mogliśmy gościć u siebie tak znakomitego uczonego, jak pan Ambroży Kleks, którego sława dotarła nawet do nas. Dzięki niemu dostąpiliście zaszczytu oglądania wielkiej królowej

Aby. Nikt z cudzoziemców dotąd jej nie widział. Wy pierwsi poznaliście jej tajemnicę. Ale musicie wymazać ją ze swej pamięci, bo inaczej zmylicie drogę i nigdy już nie traficie do waszej ojczyzny. A teraz chodźcie za mną.

Po tych słowach Abeta zbliżył się do muru zamykającego korytarz i wspierając się na dwóch rękach, czterema pozostałymi przekręcił równocześnie cztery bursztynowe tarcze, umieszczone w zasięgu czerwonego światła.

Kierunek – Wyspa Wynalazców

Mur drgnął i powoli rozsunął się na dwie strony. Abeci zniknęli niepostrzeżenie w mrocznych czeluściach korytarza. Za murem widniał zawieszony nad próżnią rozległy pomost, skonstruowany z kości wielorybów, zwany Wielorybią Granią. Bajdoci niepewnie przekroczyli próg Abecji. Gdy ostatni z nich stanął na pomoście, mur zatrzasnął się z łoskotem i dokoła zapanowała zupełna ciemność. Ale równocześnie w górze rozległy się odgłosy trąbki i zgrzyt obracających się kół. Po tym nastąpiły dźwięki sygnałów, a po chwili ogromna kabina windy, przypominająca raczej obszerny salon, zatrzymała się tuż przy Wielorybiej Grani. Kabina była rzęsiście oświetlona i wysłana puszystymi dywanami. Wewnątrz, pod ścianami, stały miękkie, głębokie fotele, a przed każdym z nich okrągły stolik pięknie nakryty i

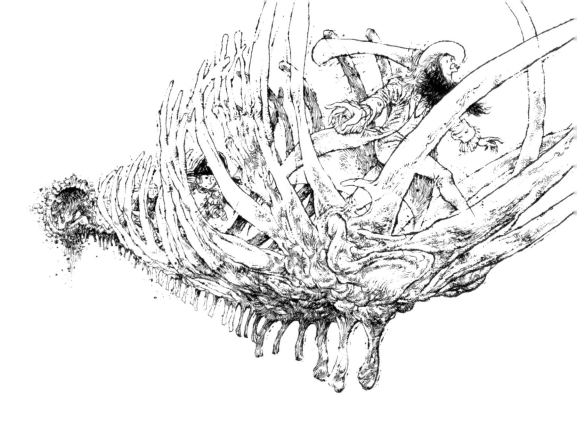

zastawiony dymiącymi potrawami. Nie zastanawiając się długo, podróżnicy weszli do windy, wtoczyli swoje beczki i ciekawie rozejrzeli się dookoła, w nadziei na spotkanie jakichś żywych istot. W kabinie jednak nie było nikogo prócz nich. Drzwi zamknęły się same, rozległy się dźwięki sygnałów, zazgrzytała niewidzialna maszyneria i winda lekko poczęła unosić się w górę. Z głośniczków zawieszonych pod sufitem popłynęła przyjemna, cicha muzyka.

Na ścianach windy wisiały w ramach obrazy, na których wszystko żyło i poruszało się jak w kinie.

– Siadajmy do obiadu – rzekł pan Kleks – a potem obejrzymy te cudeńka. Nareszcie potrawy godne naszego podniebienia! Teraz mogę wam wyznać, że kuchnia abecka wcale mi nie smakowała. Kapitanie, szkoda czasu na rozmyślania. Czeka nas nowa przygoda. No, co tam? Wyglądacie jak bociany nastraszone przez żabę.

Pan Kleks próbował żartować, ale kapitan uparcie milczał. Wreszcie zasiadł przy jednym ze stołów i posępnie zapatrzył się w talerz. Miał wciąż przed oczami twarz królowej Aby. Marynarze również byli markotni i zamyśleni, a niejeden z nich zazdrościł w duchu Telesforowi. Obraz pięknej królowej uparcie prześladował Bajdotów. Zdawało się, że są zupełnie obojętni na to, co się z nimi stanie. Kapitan mamrotał coś pod nosem, układał bajkę na cześć władczyni Abecji i w roztargnieniu usiłował wbić na widelec pusty talerz. Tylko pan Kleks, ślepy sternik oraz kuchcik Pietrek zajadali z apetytem smakowite antrykoty i popijali słodkie ananasowe wino.

– Jedzcie, przyjaciele! – wołał wesoło pan Kleks. – Czeka nas długa podróż. Hej, kapitanie, wypijmy! Mnie już niczego nie brak do szczęścia, odkąd zdobyłem atrament. Prawdziwy czarny atrament! A teraz jadę na Wyspę Wynalazców, o której słyszałem od dawna, ale myślałem, że to tylko bajka. No, co? Dlaczego milczycie? Pietrek, wobec tego może ty ze mną wypijesz? Za zdrowie królowej Aby, która mieszka w muszli jak ostryga! Cha, cha!

Sternik i Pietrek śmiali się razem z panem Kleksem i wesołość ich po trochu zaczęła udzielać się marynarzom. Niektórzy wznieśli w górę szklanki.

– Za zdrowie królowej ostrygi! – drwił dalej pan Kleks i śmiał się tak, że brodą zamiatał półmiski.

Pan Kleks wiedział, co robi. Oto kapitan ocknął się już z odrętwienia, przetarł oczy i rozejrzał się dookoła. Po chwili przyłączył się do reszty towarzystwa i wychylił szklankę złocistego trunku. Uroki, które rzuciła na całą załogę królowa Aba, stopniowo słabły, a po wypiciu kilku dzbanów wina rozwiały się zupełnie.

Pan Kleks wstał i zaintonował wesołą pieśń, co zdarzało mu się niezmiernie rzadko. Pieśń była własnego układu. Marynarze chórem śpiewali refren:

Kury wcześnie wstają,
Plam – plam – plam.
Zniosła kura jajo,
Plam – plam – plam.

Szedł ulicą głupi Marek,
Myślał, że to jest zegarek,
A my pijmy, bośmy młodzi,
Nas ta sprawa nie obchodzi!

Po obfitym posiłku i odśpiewaniu kilku pieśni pan Kleks przystąpił do oglądania ruchomych obrazów. Pierwszy z nich przedstawiał pana Kleksa i jego towarzyszy wsiadających na statek w Bajdocji, a potem ich kolejne przygody w podróży. Marynarze wraz z kapitanem otoczyli pana Kleksa i śledzili z podziwem swoje własne przygody. Na obrazie przesuwały się stopniowo, w filmowym skrócie wszystkie wydarzenia dni ubiegłych, życie marynarzy na statku, potem ich pobyt w krainie Abetów i spotkanie z królową Abą. Tylko że królowa Aba ukazała się jako zgrzybiała staruszka, podobna do odpychających czarownic z bajek.

– Oto jest prawdziwe oblicze królowej Aby – rzekł pan Kleks – a to, co widzieliście w Abecji, było zwykłym złudzeniem. W ten stan wprawiły was płetwy wieloryba, gdyż zawierają substancję, która wywołuje urojenia. Sądzę, że niejeden z was przestanie marzyć o powrocie do tego kraju.

Na te słowa kapitan zaczerwienił się po uszy, marynarze wybuchnęli śmiechem, zwłaszcza że w tej samej chwili na obrazie, jako dalszy ciąg tego żywego filmu, ukazała się czerwona twarz kapitana. Ponieważ dzieje pana Kleksa dobiegły właśnie do momentu, w którym znajdowali się podróżnicy, film urwał się, a rozpoczął się pokaz innych wydarzeń, nie mniej dla Bajdotów ciekawych. Ujrzeli teraz Wielkiego Bajarza, stojącego w porcie w Klechdawie i czekającego na powrót wyprawy atramentowej. Twarz miał zatroskaną, mówił coś do otaczającej go świty i wskazywał na horyzont. Wszyscy smutnie kiwali głowami, po czym Wielki Bajarz, podtrzymywany z dwóch stron przez ministrów, wrócił do pałacu.

Na pozostałych obrazach działy się rozmaite inne historie w jakimś nieznanym kraju. Pan Kleks objaśnił Bajdotom, że jest to Wyspa Wynalazców, do której z błyskawiczną szybkością zbliża się niezwykła winda. Nagle urwał, podbiegł do okna i odsunął kotarę. Do wnętrza kabiny wtargnęło dzienne światło, a po chwili winda wynurzyła się z mroku, jak pociąg z ciemnego tunelu. Gdy tylko zrównała się z powierzchnią ziemi, nie zatrzymując się, zmieniła kierunek i z zawrotną szybkością, jak torpeda potoczyła się po niewidzialnych szynach. Wskutek niespodziewanego wstrząsu kilku marynarzy przewróciło się, ale zaraz wstali i na nowo przylgnęli z ciekawością do okien pojazdu. Dokoła rozpościerało się olbrzymie, niekończące się miasto, ale straszliwy pęd uniemożliwiał rozróżnienie domów i ludzi.

– Odejdźcie od okien, bo dostaniecie zawrotu głowy! – zawołał pan Kleks. – Posuwamy się z szybkością czterystu mil na godzinę. Całe szczęście, że nie ma po drodze zakrętów.

Oszołomieni marynarze za przykładem pana Kleksa usadowili się w fotelach. Trudno było pojąć, że przy tak olbrzymim pędzie szyby w oknach nie dygocą i łoskot nie zagłusza słów.

– Spodziewam się, że najdalej za dwie godziny będziemy u celu naszej podróży – rzekł pan Kleks. – Dużo słyszałem o Wyspie Wynalazców. Mieszkają na niej istoty zupełnie podobne do nas, ale zamiast dwóch nóg posiadają tylko jedną, o bardzo wielkiej stopie. Swoją wyspę nazywają Patentonią od nazwiska największego ich uczonego, Gaudentego Patenta. Od strony morza nikt nie ma do niej dostępu, gdyż strzegą zazdrośnie swych laboratoriów i fabryk. Jedyna droga do Patentonii prowadzi przez Abecję, dlatego tak mało wie się o tym kraju. Na wyspie tej powstają wszelkie wynalazki znane ludzkości. Patentończycy zawiadamiają o nich świat, wysyłając ruchome obrazy. Niestety, nie wszystkie obrazy docierają do nas, gdyż nie posiadamy odpowiednich aparatów odbiorczych. Będziecie więc mogli zobaczyć mnóstwo wynalazków u nas zupełnie nieznanych. Pamiętajcie tylko o jednym: Patentończycy nie cierpią podglądania ich tajemnic i są ogromnie podejrzliwi. Nie wtykajcie nosów, gdzie nie trzeba, bo możecie ściągnąć na siebie nieszczęście. Nie lekceważcie tej przestrogi. O wszystko macie prawo pytać, otrzymacie dokładne objaśnienia, a nawet plany i modele. Łatwo będziecie mogli porozumieć się z nimi, gdyż władają tysiącem języków i narzeczy, nie wyłączając języka bajdockiego. Patentonia to kraj bogaty i ludzie żyją tam po sto lat, ale poza pracą nic dla nich nie istnieje, ani śpiew, ani tańce, ani rozrywki, a sen jest nieznanym zjawiskiem. Po prostu połykają specjalne pastylki, które zastępują odpoczynek i usuwają zmęczenie. Tyle mogę wam na razie powiedzieć o słynnej Wyspie Wynalazców, resztę zobaczycie na własne oczy.

Opowiadanie pana Kleksa zrobiło na Bajdotach ogromne wrażenie. Siedzieli przez dłuższy czas zamyśleni i nawet Pietrek nie zadawał pytań, choć pożerała go ciekawość.

Torpeda pędziła z niezmienną szybkością. W miarę jak zapadał mrok, w miastach, które mijała, rozbłyskiwały niezliczone światła i zlewały się w jedno oślepiające pasmo.

W głośniku ucichła muzyka i rozległy się słowa w języku bajdockim:

– Halo, halo! Arcymechanik Patentonii wita poddanych Wielkiego Bajarza Bajdocji. W stolicy naszego kraju poczyniono już przygotowania na przybycie słynnego uczonego, Ambrożego Kleksa. Uroczystości na jego cześć odbędą się we wszystkich miastach. Halo, halo! Za godzinę minut dwadzieścia trzy Stalowa Strzała, którą podróżujecie, wjedzie na peron siódmy Dworca Magnesowego. Po zatrzymaniu się Stalowej Strzały nie opuszczać foteli... nie opuszczać foteli... Halo, halo! Prosimy o naciśnięcie czerwonego guzika pod głośnikiem.

Kapitan pierwszy zerwał się z fotela i nacisnął guzik, którego poprzednio wcale nie dostrzegł. Marynarze z ciekawością spoglądali na głośnik, spodziewając się stamtąd nowej niespodzianki. Tymczasem okazało się, że ukryty mechanizm, wprowadzony w ruch przez naciśnięcie czerwonego guzika, zainstalowany był w stołach. Boczne ścianki wysunęły się w górę, a kiedy opuściły się z powrotem, dawna zastawa zniknęła, a na jej miejsce zjawiły się nowe nakrycia, dzbanki z czekoladą i tace z ciastami.

W tej samej chwili w głośniku rozległy się słowa:

– Halo, halo! Prosimy na podwieczorek.

– Znakomita myśl! – zawołał pan Kleks i pierwszy zabrał się do jedzenia.

Bajdoci poszli za jego przykładem.

Tymczasem za oknami zapadła noc, ale na czarnym niebie krążyły samoloty-słońca, rzęsiście oświetlając ziemię.

Widno było jak w dzień, a mimo to latarnie płonęły nadal i spowijały torpedę w mgławicę blasku.

Po podwieczorku przez głośnik nadano ostatnie wiadomości z Bajdocji. Zdumieni marynarze usłyszeli głosy swych żon i dzieci, dowiedzieli się, co dzieje się w ich domach. Najczęściej padało nazwisko pana Kleksa jako kierownika wyprawy, gdyż lud bajdocki niecierpliwił się i czekał z upragnieniem na obiecany atrament.

– Dostaną, dostaną – mruknął pan Kleks. – Esencja atramentowa, którą wiozę, wystarczy im na dziesięć lat.

Tymczasem upływały minuty i kwadranse. Zbliżał się kres podróży. Znowu odezwał się głos:

– Halo, halo! Nie opuszczać foteli!

Po chwili torpeda zaczęła zwalniać bieg, rozległy się dźwięki sygnałów, zawirowały czerwone światła i Stalowa Strzała, punktualnie co do sekundy, wyjechała na peron siódmy Dworca Magnesowego.

Podróżnicy, nie opuszczając foteli, oczekiwali dalszych wydarzeń.

Dworzec Magnesowy była to ogromna hala wyłożona metalowymi płytami i nakryta szklanym dachem. Płyty przesuwały się automatycznie i otwierały raz po raz przejścia, korytarze i tunele, w które wjeżdżały lub z których wyjeżdżały najrozmaitsze pojazdy. Ruch na dworcu regulowała skomplikowana sygnalizacja dźwiękowo-świetlna. Co chwila w różnych miejscach zapalały się i gasły czerwone i zielone światła, przez głośniki padały nazwy miast i stacji kolejowych oraz wszelkiego rodzaju informacje. Wszystko to odbywało się z niezwykłą precyzją, a przy tym bez udziału jakichkolwiek widzialnych istot. Na srebrnym ekranie zawieszonym na jednej ze ścian ukazywały się nadjeżdżające pociągi, oznaczone cyframi i literami. Równocześnie automatycznie przesuwały się odpowiednie płyty, zapalały się sygnały i pociągi różnego kształtu wślizgiwały się na mechanicznych płozach pod dach dworca.

Patentonia

Zanim Bajdoci zdążyli przyjrzeć się dokładnie ruchowi na stacji i pasażerom, sufit i ściany Stalowej Strzały uniosły się niespodziewanie w górę, natomiast cała dolna platforma, wraz z fotelami i pozostałą zawartością torpedy, ruszyła naprzód. Rozległy się dźwięki sygnałów, płyty rozsunęły się, otwierając szeroki tunel, który wchłonął podróżników. Ale już po chwili platforma wynurzyła się na zewnątrz dworca. Posuwała się szybko po ulicy, która przedstawiała ciekawy widok. Wysoko nad jezdnią, na stalowych wiązaniach i łukach wznosiły się domy Patentończyków, a na dole sunęło automatycznie osiem ruchomych chodników, każdy z inną szybkością. Chodniki wewnętrzne przeznaczone były dla ruchu pieszego, zewnętrzne, o wiele szersze, służyły dla pojazdów. Platforma Bajdotów posuwała się prawym skrajem jezdni, zaś obok przesuwali się mieszkańcy tego zmechanizowanego miasta, a każdy z nich stał na wielkiej stopie swojej jedynej nogi. Ponieważ sąsiedni chodnik poruszał się z taką samą prawie szybkością, co platforma Bajdotów, mogli oni ze swoich foteli przyglądać się tubylcom.

Patentończycy wyróżniali się nie tylko tym, że posiadali jedną nogę, ale nadto przewyższali Bajdotów wzrostem o trzy głowy. Mieli też nosy niezwykle długie i bardzo ruchliwe, tak jak gdyby węch stanowił najważniejszy zmysł tych istot. Mężczyźni byli zupełnie łysi, kobietom zaś od połowy głowy wyrastały rude włosy, zaplecione w trzy krótkie warkoczyki. Dzieci pod tym względem niczym nie różniły się od dorosłych.

Ubiór Patentończyków był prosty i jednolity. Składał się ze skórzanych kurtek, długich wełnianych pończoch i obszernych pelerym. Wielkie stopy obute były w gumowe kamasze na podwójnych sprężynowych podeszwach, dzięki którym mogli z lekkością koników polnych robić skoki na wysokość kilku metrów i poruszać się z szybkością czterdziestu mil na godzinę.

Chodniki nigdy się nie zatrzymywały. Patentończycy jednym zwinnym skokiem wydostawali się na perony ustawione w pewnych odstępach wzdłuż jezdni. W ten sam sposób wskakiwali z peronów na chodniki.

Z lewej strony jezdni biegł najszybszy chodnik, który unosił liczne pojazdy w kształcie cygar, kul i spłaszczonych ogórków. Pojazdy te nie miały kół, tylko szerokie płozy, podobne do nart.

Pojazdy kuliste były to dwuosobowe świdrowce, wykonane w całości z cienkiego, lekkiego metalu o przezroczystości szkła. Nazwa ich pochodziła stąd, że w środku pojazdu sterczał maszt w kształcie świdra, który za pomocą motoru atomowego kręcił się z szybkością stu tysięcy obrotów na sekundę. Dzięki płaskim nacięciom świdra, zastępującego śmigło, świdrowce unosiły się w górę, a przy odpowiednim manipulowaniu regulatorem mogły wisieć nieruchomo w powietrzu lub też odbywać podróże tak jak samoloty. Chmary świdrowców wirujących na niebie wyglądały z dołu jak bańki mydlane. Inne pojazdy przeznaczone do podróży wodno-lądowych poruszały się za pomocą śruby umieszczonej z przodu na samym dziobie. Mogły one poruszać się po każdym terenie, gdyż umocowane pod spodem płozy zastępowały szyny kolejowe. Śrubowce rozwijały olbrzymią szybkość, przeskakiwały nierówności terenu, zaledwie dotykając płozami ziemi.

Bajdoci rozglądali się dokoła z szeroko otwartymi ustami i raz po raz wydawali okrzyki zdumienia, a pan Kleks wypytywał przesuwających się obok Patentończyków o rozmaite szczegóły, dotyczące konstrukcji świdrowców i śrubowców. Rozmowy toczyły się w języku bajdockim, jeśli zaś chodzi o język miejscowy, to prawie nigdzie nie było go słychać, gdyż Patentończycy między sobą porozumiewali się w sposób zupełnie inny. Mieli na nosach okulary, których szkła podobne były do małych ekranów. Odbijały się na nich myśli Patentończyków, przybierając kształt ruchomych obrazów, i dlatego wymiana słów była całkiem zbędna. Pan Kleks obiecał towarzyszom podróży, że wystara się dla nich o takie okulary.

– Ale musicie pamiętać – dodał pan Kleks – że Patentończycy nie miewają myśli, które chcieliby ukryć przed innymi. Obawiam się, że niejeden z was będzie wolał wyrzec się cudownych okularów, niż zdradzić się ze swoimi myślami. Jesteśmy z innej gliny i nie wszystkie tutejsze wynalazki dadzą się zastosować do naszego życia.

Na ruchomych chodnikach pojawiały się coraz to nowe postacie patentońskich jednonogich wielkoludów. Niektórzy z nich, dla przyspieszenia podróży, skakali na swoich sprężynowych podeszwach w kierunku ruchu i znikali na podobieństwo pcheł. Dzieci odbywały drogę, siedząc na składanych stołeczkach. Świdrowce wznosiły się i lądowały dla nabrania paliwa z ustawionych wzdłuż chodnika zbiorników. Platforma Bajdotów posuwała się naprzód, bez przeszkód mijając dziwaczne, metalowe rusztowania. Właściwego życia miejskiego nie można było dostrzec, gdyż domy mieszkalne i ulice mieściły się bardzo wysoko. Wreszcie nastąpił kres jazdy. Platforma uniosła się w górę. Porwały ją równocześnie cztery stalowe szpony i dźwignęły na szczyt olbrzymiej budowli. Bajdoci znaleźli się u wejścia na plac, na którym zebrał się tłum Patentończyków, aby powitać pana Kleksa.

Plac wybrukowany był płytkami z matowego szkła. Z takich samych płytek zbudowane były wielopiętrowe domy, zwężające się ku górze i zakończone obrotowymi wieżami. Do wież umocowane były wklęsłe tarcze, które pochłaniały promienie słoneczne i wytwarzały ciepło, niezbędne nie tylko do ogrzewania mieszkań, ale również do ogrzewania powietrza na zewnątrz. Dzięki mechanizmowi tarcz słonecznych oraz systemowi elektrycznych chłodnic Patentończycy umieli utrzymywać temperaturę swych miast na jednakowym poziomie o każdej porze roku. Było to ważne chociażby z tego względu, że Patentończycy posiadali niezmiernie duże nosy, więc przy lada powiewie dostawali kataru i kichali tak głośno, jakby grali na trąbach.

Plac przecinała szeroka ulica, której liczne odgałęzienia i przecznice widoczne były z daleka. Ponad placem wisiały roje świdrowców, przyczepionych do balkonów domów jak baloniki. Mieszkańcy miasta wylegli na balkony, trzymając przy ustach małe kauczukowe głośniki. Zebrani na placu Patentończycy przystrojeni byli w uroczyste, spiczaste kaptury, zakończone maleńkimi antenami w kształcie guzika. Jeden z nich, wyróżniający się szczególnie dużym nosem, zbliżył się w drobnych podskokach do pana Kleksa, pochylił się nisko i zwyczajem patentońskim pocałował go w ucho. Była to oznaka wielkiej czci, na którą pan Kleks odpowiedział w podobny sposób, ale musiał przy tym podskoczyć wysoko w górę, gdyż Patentończyk przewyższał go wzrostem o dobre cztery głowy. Powitanie z pozostałymi Bajdotami było mniej ceremonialne i ograniczało się do wzajemnego pociągania za uszy. Pietrkowi ogromnie podobał się ten zwyczaj, gdyż po raz pierwszy w życiu mógł targać za uszy innych, tak jak to z nim dotychczas robili marynarze, bynajmniej nie po to, aby mu okazać szacunek.

Po zakończeniu powitań, podczas których zgromadzony tłum odegrał na nosach Marsza Wynalazców, Patentończyk przyłożył do ust siatkę ze szklanego drutu, wielkości kieszonkowego zegarka, i rozpoczął przemówienie. Siatka ta stanowiła niezwykły wynalazek. Przetwarzała ona mowę patentońską na każdy inny język, stosownie do nastawienia znajdującej się w środku wskazówki. W ten sposób przemówienie wygłoszone po patentońsku Bajdoci usłyszeli w języku bajdockim.

– Dostojny gościu! – powiedział mówca, zwracając się do pana Kleksa. – Dzielni podróżnicy! Na wstępie pragnę nadmienić, że piastuję w Patentonii godność Arcymechanika, która u nas odpowiada godności Wielkiego Bajarza w waszym kraju. Przed trzema laty, gdy Urząd Patentowy stwierdził, że dokonałem największej ilości wynalazków, przejąłem władzę z rąk mojego poprzednika, Patentoniusza XXVIII i sprawuję rządy pod przybranym imieniem Patentoniusza XXIX. Gdy któryś z moich ziomków prześcignie mnie w ilości wynalazków, jemu przekażę władzę jako memu następcy. Takie prawo panuje w naszym kraju.

Po tych słowach zebrani na placu Patentończycy zawołali chórem:

– Ella mella Patentoniusz adarella! – co miało oznaczać po patentońsku: „Niech żyje Patentoniusz XXIX!"

Mówca zaś ciągnął dalej:

– Dumny jestem, że mogę powitać w naszym kraju uczonego tej miary, co pan Ambroży Kleks, któremu mam do zawdzięczenia pomysły wielu naszych wynalazków. Pomysły te nie mogły być wprowadzone w życie w ojczyźnie pana Kleksa wskutek braku odpowiednich materiałów i urządzeń technicznych, ale ich opisy i plany, świadczące o geniuszu tego uczonego, dotarły do nas i pozwoliły nam zrealizować wiele doniosłych wynalazków ku pożytkowi naszego kraju.

W tym miejscu Arcymechanik skłonił się nisko, jeszcze raz ucałował pana Kleksa w ucho i mówił dalej:

– Pozwól, dostojny gościu, że wymienię tu wynalazki, które tobie mamy do zawdzięczenia. A więc na pierwszym miejscu – pompka powiększająca. Dzięki niej mogliśmy powiększyć nasz wzrost naturalny o jedną trzecią. Wynalazek ten chciałbym tu zademonstrować.

Mówiąc to, Patentończyk wyjął z kieszeni peleryny pompkę przypominającą zwykłą oliwiarkę, przyłożył jej koniec do ucha pana Kleksa i kilkakrotnie nacisnął denko. W tej samej chwili pan Kleks zaczął rosnąć na oczach wszystkich i po upływie kilku sekund dorównywał już wzrostem Patentończykom. Było to naprawdę zdumiewające. Bajdoci spoglądali z zazdrością na pana Kleksa, który stał się niemal wielkoludem. Otoczyli zaraz Arcymechanika i nadstawiali natrętnie uszy, domagając się na migi tego samego zabiegu. Tylko ślepy sternik stał na uboczu, bo nie bardzo wiedział, o co chodzi.

Arcymechanik zorientował się, że sternik jest ślepy, i zręcznym ruchem ponad głowami marynarzy włożył mu na nos binokle o pryzmatycznych, opalizujących szkłach. Trudno opisać radość sternika, który nagle zaczął widzieć i z najwyższym podziwem rozglądał się dokoła. Jeszcze większe zdumienie go ogarnęło, gdy Patentończyk przyłożył mu do ucha pompkę i dokonał operacji powiększającej. Szczęście jego nie miało wprost granic. Natomiast pozostałych Bajdotów Arcymechanik łagodnie, lecz stanowczo odsunął ręką, po czym znowu podniósł siatkę do ust i kontynuował przerwane przemówienie:

– Następnym wynalazkiem opartym na pomyśle pana Kleksa jest kluczyk otwierający wszystkie zamki, dalej pudełko do przechowywania płomyków świec, samogrające mosty, automaty przeciwkatarowe i wiele, wiele innych. Nie mogliśmy tylko zmontować wytwórni pigułek na porost włosów, gdyż nie posiadamy odpowiednich witaminowych barwników. Nasz przemysł chemiczny nie nadąża niestety za rozwojem techniki, ta zaś nie posiada już dla nas żadnych tajemnic.

– Pigułki na porost włosów? Ależ proszę bardzo! – zawołał pan Kleks i wyciągnął z kieszeni srebrne puzderko, z którym nigdy się nie rozstawał.

– Proszę bardzo! Mam ich duży zapas.

Mówiąc to, otworzył puzderko i poczęstował pigułkami najbliżej stojących Patentończyków. Po chwili puzderko było puste. Tym zaś, którzy zdążyli skorzystać z poczęstunku pana Kleksa, od razu posypały się spod kapturów bujne kędziory. Następnie kapela odegrała na nosach kantatę skomponowaną na cześć pana Kleksa.

Ale przemówienie Patentończyka nie było jeszcze widocznie skończone, gdyż dał znak, aby wszyscy się uciszyli, po czym ciągnął dalej:

– W naszym kraju nie znajdziecie rozrywek ani zabaw, jako że cały czas poświęcamy pracy. Ujrzycie za to wiele ciekawych rzeczy, a niektóre z nich będziecie nawet mogli zabrać ze sobą do ojczystej Bajdocji. Jesteście naszymi gośćmi, ale gościna wasza nie może trwać dłużej niż jedną dobę, gdyż nie wolno nam odrywać się od naszych warsztatów. Takie jest prawo tego kraju.

„Nie chcą, aby ich podpatrywać" – pomyślał Pietrek.

Skoro tylko Arcymechanik skończył przemówienie, wszyscy jego podwładni przyłożyli siatki do ust i zawołali chórem:

– Niech żyje Patentoniusz XXIX! Niech żyje Ambroży Kleks!

Po czym jeszcze raz odegrali na nosach powitalną kantatę.

Gdy ucichły ostatnie tony pieśni, głos zabrał pan Kleks i w krótkich słowach podziękował za serdeczne przyjęcie. Mówił po bajdocku, ale Patentończycy przyłożyli do uszu kauczukowe głośniki, które od razu tłumaczyły przemówienie na język patentoński.

Arcymechanik

Po zakończonej uroczystości Arcymechanik zaprosił gości do swego pałacu, gdzie już przygotowane były dla nich obszerne apartamenty. Pan Kleks przede wszystkim zatroszczył się o beczki z esencją atramentową i poprosił o przeniesienie ich do pałacu.

– Dostojny gościu – rzekł na to ze smutkiem w głosie Arcymechanik – wiem, jak zmartwi cię wiadomość, którą usłyszysz. Cokolwiek pochodzi z Abecji, umiera natychmiast pod działaniem światła słonecznego. Tak samo mleko atramentowe traci swą barwę i staje się białe. Wiem o tym dobrze, gdyż z Abecją utrzymujemy od dawna bliskie stosunki sąsiedzkie. Zresztą sam przekonasz się o prawdzie moich słów.

Natychmiast jeden z Patentończyków przytoczył na rozkaz Arcymechanika dwie beczki z atramentowym płynem, ustawił je przed panem Kleksem i uderzeniem potężnej pięści rozbił pokrywy. Z beczek wytrysnął biały płyn. Pan Kleks nie dowierzał jeszcze swym oczom i zajrzał do wnętrza.

Tak! Nie mogło być wątpliwości: atrament stracił barwę i przeistoczył się w bezwartościowy płyn koloru mleka. Pan Kleks zanurzył w nim dłoń, a potem przyglądał się w milczeniu białym kroplom, które kapały z jego palców na szklany bruk. Nikt nie śmiał przerwać tego wymownego milczenia.

W pewnej chwili oczy pana Kleksa spotkały się z oczami Pietrka pełnymi łez. Pan Kleks otrząsnął się, gwizdnął jak kos i rzekł:

– Trudno. Chodźmy. Ale podróż nasza nie jest jeszcze skończona. Nie możemy wracać do Bajdocji z pustymi rękami.

Po tych słowach ujął pod ramię Patentoniusza XXIX i ruszył z nim w kierunku pałacu. Za nimi podążali Bajdoci, Przyboczna Rada Mechaniczna oraz cała świta.

Tak. Trzeba przyznać, że pan Kleks był wielkim człowiekiem. Bowiem wielcy ludzie nigdy nie tracą nadziei.

Wejście do pałacu prowadziło przez wysoką bramę. Kilkanaście wind stało w pogotowiu w oczekiwaniu gości. Charakterystycznym szczegółem budownictwa patentońskiego był zupełny brak schodów. Schody w ogóle nie istniały.

Patentończycy wskakiwali na wyższe piętra, posiłkując się sprężynowymi podeszwami, ale poza tym kto chciał, mógł korzystać z wind oraz szybujących foteli, poruszających się we wszystkich kierunkach.

Sala, do której wprowadził gości Arcymechanik, była bardzo przestronna i zupełnie pusta. Tylko kilka rzędów różnokolorowych guzików na srebrnej płycie wskazywało na istnienie złożonego mechanizmu. Istotnie, za naciśnięciem odpowiednich guzików, z podłogi, z sufitu i ze ścian wyłaniały się przeróżne urządzenia i sprzęty, zależnie od potrzeby.

Przede wszystkim za naciśnięciem guzików niebieskich, komnata przeobraziła się w wykwintną salę jadalną, którą zapełniły stoły zastawione potrawami i dzbanami z ananasowym winem. Na znak dany przez Arcymechanika rozpoczęła się uczta, trwająca resztę nocy aż do rana. Do potraw domieszane były nieznane przyprawy, których działanie polegało na usuwaniu znużenia, tak że Bajdoci, nie mówiąc już o panu Kleksie, nie czuli zmęczenia ani senności.

Po uczcie Arcymechanik nacisnął czerwone guziki i natychmiast sala jadalna przeistoczyła się w pracownię mechaniczną. Wypełniały ją precyzyjne aparaty, instrumenty i narzędzia, przy których Arcymechanik opracowywał i doskonalił swe wynalazki.

Arcymechanik ofiarował każdemu z gości po metalowym pudełeczku, które było równocześnie radioaparatem, zapalniczką, latarką elektryczną, muchołapką i maszynką do strzyżenia. Bajdoci nie mogli wyjść z podziwu na widok tego skomplikowanego i genialnie pomyślanego instrumentu.

Natomiast pan Kleks, któremu okazywano nieustające oznaki czci, otrzymał ponadto aparat do odgadywania myśli, skrzynkę zawierającą siedem sekretów Patentonii i piętnaście świdrowców, mających służyć jemu i jego towarzyszom w dalszej podróży. Wśród siedmiu sekretów Patentonii znajdował się między innymi sposób odnalezienia tego kraju na mapie, model pompki powiększającej, spis wynalazków Arcymechanika i jeszcze cztery, równie bezcennej wartości.

Pan Kleks w gorących słowach podziękował za hojne dary, ale nie omieszkał przy tym w delikatny sposób zauważyć, że brak wśród nich tak pożądanego czarnego atramentu.

Arcymechanik zasępił się bardzo, porozumiał się z Przyboczną Radą Mechaniczną, po czym rzekł, przytknąwszy wskazujący palec do swego długiego nosa:

– Atrament nigdy nie był nam potrzebny, albowiem posiadamy zdolność zachowania raz na zawsze w pamięci wszelkich słów, cyfr i myśli. Pamięć nasza nigdy nie zawodzi, dlatego też nie robimy żadnych notatek, nic nie zapisujemy ani nie utrwalamy, choćby to były najbardziej złożone wykresy lub formuły matematyczne. Ja, choć mam już dziewięćdziesiąt dziewięć lat, pamiętam z największą dokładnością ponad sto tysięcy liczb, których uczyłem się, gdy miałem lat dziewięć. Nic więc dziwnego, że nie wynaleźliśmy atramentu i nigdy go nie wynajdziemy. Zresztą, jak już zaznaczyłem poprzednio, nie posiadamy siedmiu najważniejszych barwników. Dziwię się tylko, że tak wielki uczony, jak pan Ambroży Kleks, nie zdobył się dotąd na dokonanie podobnie łatwego wynalazku. Powtarzam: dziwię się – a dziwić się wolno każdemu.

Pan Kleks pominął milczeniem tę uszczypliwość, gdyż doskonale umiał nad sobą panować, ale zaczerwienił się po same uszy i przeraźliwie nastroszył brwi.

Tymczasem Arcymechanik, jak gdyby nigdy nic, zaproponował gościom przechadzkę po ulicach miasta, podkreślając, że wkrótce już, ku jego ogromnemu żalowi, będą musieli opuścić Patentonię. Po tych słowach ujął pana Kleksa pod ramię i podskakując obok niego na swojej jedynej nodze, skierował się do wyjścia. Za nimi szli Bajdoci i świta Arcymechanika.

Główna ulica, zawieszona wysoko nad ruchomą jezdnią, przypominała raczej szeroki most wybrukowany szklaną kostką. Po obu stronach wznosiły się wysoko stożkowate budowle, a z okien wyglądali Patentończycy, podobni jeden do drugiego jak bliźnięta.

Wzdłuż ulicy stały nieprzerwanym szeregiem automaty zastępujące sklepy, restauracje i kawiarnie. Arcymechanik demonstrował je po kolei, wprawiając ich mechanizm w ruch za pomocą stalowej iglicy.

Iglica Arcymechanika posiadała sto siedemdziesiąt siedem nacięć i pasowała do wszystkich automatów. Im kto niższe zajmował stanowisko w zespole wynalazców, tym niższej kategorii miał iglicę. Wynalazcy najmniej zdolni i pracowici posiadali iglice o siedemnastu zaledwie nacięciach. Pozwalały one zaspokajać w automatach tylko najprostsze potrzeby.

Arcymechanik demonstrował wszystkie automaty i rozdawał swym gościom owoce, słodycze, części garderoby, przedmioty codziennego użytku, drobne praktyczne wynalazki, a nawet ozdoby i klejnoty. Przy jednym z automatów Patentończycy zatrzymali się nieco dłużej. Każdy wtykał do otworu swój długi nos, był to bowiem automat przeciwkatarowy, najczęściej chyba używany w tym kraju, gdyż jego mieszkańcy stale cierpieli na katar i kilka razy dziennie automatycznie dezynfekowali sobie nosy.

– Kto ma duży nos, ten ma duży katar – zauważył filozoficznie Arcymechanik.

Były też automaty do mierzenia temperatury, do plombowania zębów, do cerowania skarpetek, do zaplatania warkoczy oraz do wykonywania mnóstwa innych niezbędnych czynności.

Bajdoci nie ukrywali podziwu dla wynalazczości Patentończyków, ale w głębi duszy byli zdania, że zastąpienie sklepów przez automaty odbiera życiu znaczną część uroku. O ileż piękniej wyglądały ulice Klechdawy z rzęsiście oświetlonymi wystawami sklepowymi, gdzie każdy mógł nabywać przedmioty stosownie do swego upodobania i gustu! Natomiast wyroby Patentończyków, podobnie jak ich stroje, wykonane były według jednego wzoru, posiadały jednolity kształt i barwę, co sprawiało przygnębiające wrażenie.

Prowadząc tak swoich gości ulicą Automatów, Arcymechanik zatrzymał się w pewnej chwili i rzekł:

– To, co ujrzycie teraz, niewątpliwie będzie dla was przykre, ale trudno, prawa naszego kraju są surowe i dotyczą w równej mierze tubylców, jak i cudzoziemców.

Po tych słowach Arcymechanik dał kilka wielkich susów i zatrzymał się przed postacią stojącą nieruchomo w szeregu automatów. Bajdoci podążyli za nim. Oczom ich ukazała się postać Pietrka, który szklanym wzrokiem bezmyślnie patrzył przed siebie. Ręce miał skrzyżowane na piersiach, a nogi przymocowane do chodnika metalowymi klamrami.

– Chłopiec ten – rzekł Arcymechanik – wbrew zakazowi podpatrzył jeden z najnowszych moich wynalazków i puścił w ruch jego mechanizm, ujawniając przedwcześnie tajemnicę. Został za to ukarany. Przestał być człowiekiem, a stał się automatem, automatem do lizania znaczków pocztowych. Mogę go wam zademonstrować.

To mówiąc, Arcymechanik wetknął swoją iglicę do otworu umieszczonego pod lewą pachą Pietrka i przekręcił trzykrotnie. Pietrek automatycznym ruchem otworzył usta i wysunął język. Patentończycy jeden po

drugim zbliżali się do automatu, przykładali do wysunię-
tego języka znaczki pocztowe i nalepiali je na przygotowane zawczasu koperty. Po wyjęciu iglicy Pietrek schował
język, zamknął usta i nadal stał nieruchomo, patrząc
przed siebie szklanym wzrokiem.

Pan Kleks był głęboko wstrząśnięty tym widokiem. Wiedział, że dla Pietrka nie ma już ratunku. Długo stał w milczeniu, a potem zbliżył się do nieszczęsnego chłopca i złożył
pocałunek na jego czole, które było zimne jak metal.

Odwrócił się wreszcie do Arcymechanika i rzekł drżą-
cym głosem:

– Twarde jest prawo patentońskie, które zmieniło
tego dzielnego chłopca w automat. Ciekawość jego zo-
stała ukarana zbyt surowo. Skoro nie możemy odwrócić
tego, co się stało, nie chcemy dłużej pozostawać w kraju,
gdzie ludzie zamiast serc mają stalowe sprężyny. Wypuść-
cie nas stąd czym prędzej. Jest to nasze jedyne życzenie.

Bajdoci, do głębi oburzeni, otoczyli pana Kleksa
i również domagali się natychmiastowego opuszczenia
tej posępnej wyspy. Tylko sternik stał na uboczu i wołał:

– A ja nie chcę! Nie chcę być ślepy do końca życia.
Tutaj przynajmniej widzę. Pozwólcie mi zostać!

– Nie mamy nic przeciwko temu – oznajmił Arcymechanik. – Rozumiemy, czym jest wzrok dla człowieka.
Opalizujące szkła szybko tracą swą moc i często trzeba
je zmieniać. A zmienić je można tylko w Patentonii. Pozwólcie więc waszemu sternikowi, aby został u nas. Bę-

dzie pracował tak jak my i żył tak jak my. Bo u was nikt nie potrafi przywrócić mu wzroku.

Zapanowało ogólne milczenie. Pan Kleks usiłował stłumić w sobie niechętne uczucia względem Patentończyków, których znienawidził za bezduszność. Uważał, że nic nie stoi na przeszkodzie, aby Arcymechanik wyjawił tajemnicę opalizujących szkieł. Ale ten wyniosły i zimny włodarz Patentonii poczuł się dotknięty w swoim poczuciu władcy i nic nie mogło go przejednać.

– Dobrze – powiedział pan Kleks – niechaj sternik zostanie. Wprawdzie, jeśli o mnie idzie, wolałbym być ślepym w Bajdocji niż królem w Patentonii, ale to już sprawa czysto osobista.

Po tych słowach odwrócił się i ruszył z powrotem w kierunku placu. Bajdoci podążyli za nim. Ponad ich głowami w zwinnych skokach przemknęli Patentończycy. Zgromadzony na placu tłum przyglądał się w uroczystym skupieniu pracy kilkunastu mechaników krzątających się dokoła lśniących, nowiutkich świdrowców, gotowych do odlotu.

Arcymechanik przywołał Bajdotów i udzielił im szeregu wyjaśnień oraz wskazówek, jak obchodzić się z mechanizmem tych latających kul. Trzeba przyznać, że był to mechanizm niezmiernie prosty. Nawet dziecko mogło posługiwać się nim z łatwością. Pan Kleks wsiadł do jednego ze świdrowców i odbył próbny lot, który wypadł całkiem zadowalająco.

Skoro przygotowania do odlotu były już zakończone, Arcymechanik zwrócił się do pana Kleksa i rzekł:

— Znajomość nasza pozostanie mi w pamięci na zawsze. Umiem łatwo zapominać drobne nietakty moich gości, ale nie zapomnę nigdy chwil głębokiego wzruszenia, jakie budzi we mnie najkrótsze nawet obcowanie z wielkim uczonym. Pomnik, który wzniesiemy na tym placu, upamiętni wasze niezwykłe odwiedziny, a plac otrzyma nazwę placu Ambrożego Kleksa.

Przy tych słowach Patentoniusz XXIX pociągnął pana Kleksa za ucho, po czym mówił dalej:

— Wszystkie świdrowce są obficie zaopatrzone w żywność, nadto każdy z was otrzyma na drogę okrycie, bo w górze jest bardzo zimno. Patrzcie, te peleryny są mego wynalazku. W każdym guziku mieści się mała bateryjka, z której przepływa przez płaszcz równomierna fala ciepła. Temperaturę można regulować przez włączenie jednego, dwóch albo trzech guzików. A teraz nie pozostaje mi nic innego, jak pożegnać was i życzyć szczęśliwej podróży.

Podczas gdy Patentończycy rozdawali Bajdotom peleryny, pan Kleks wygłosił krótkie pożegnalne przemówienie i podziękował Arcymechanikowi za gościnność.

Sternik był niesłychanie wzruszony. Pobiegł do swoich towarzyszy podróży i ściskał ich po kolei, głośno szlochając.

– Wiem, że już nigdy nie usłyszę bajek Wielkiego Bajarza! – wołał z płaczem. – Wybaczcie mi, ale nikt z was nie wie, co to jest ślepota! Może tutaj jakoś się oswoję, będę się opiekował Pietrkiem... Wybaczcie, bądźcie zdrowi!

Pan Kleks ze łzami w oczach ucałował sternika, skłonił się jeszcze raz Arcymechanikowi i zgromadzonym Patentończykom, po czym dał Bajdotom znak, aby wsiadali do świdrowców. W każdym z nich usadowiło się po dwóch Bajdotów, a do ostatniego wsiadł sam tylko pan Kleks.

Patentończycy zaintonowali na nosach pożegnalnego marsza i po chwili piętnaście świdrowców uniosło się w górę. W miarę oddalania się od ziemi, zgromadzeni na placu ludzie stawali się coraz mniejsi, a po kilku minutach przypominali już roje ruchliwych mrówek. Niebawem też cała Wyspa Wynalazców, zwana Patentonią, wyglądała z góry jak talerz pływający po powierzchni morza.

Walka z szarańczą

Pan Kleks nawet nie zauważył, że odzyskał znowu swój normalny wzrost.

„Zdaje się, że wynalazki tych bezdusznych durniów są złudne i nierzeczywiste" – pomyślał z niesmakiem.

Gdy jednak włączył ogrzewające guziki płaszcza, poczuł we wszystkich członkach przyjemne ciepło. Następnie wypróbował aparat do zgadywania myśli i na maleńkim ekranie zobaczył szereg bezbarwnych i jednostajnych obrazów. Były to myśli marynarzy, którzy widocznie oddawali się swoim codziennym marzeniom. Jedynie myśli kapitana raz po raz wracały do Patentonii, krążyły wokół sternika, zatrzymywały się na Pietrku i wybuchały gniewnymi iskrami nad głową Arcymechanika.

Pan Kleks włożył swoje dalekowzroczne okulary, rozpostarł samoczynną mapę – dar Patentoniusza XXIX –

i poszybował na północo-zachód. Pozostałe świdrowce leciały za nim na podobieństwo klucza żurawi.

Niebo było czyste, ale przejmujący chłód wdzierał się do kabin. Na szczęście wszystkie ogrzewające guziki działały sprawnie, toteż Bajdotom ziębły jedynie uszy i nosy. Pan Kleks podniósł do góry swą rozłożystą brodę i wtulił w nią twarz jak w ciepły szal. Rozglądał się pilnie dokoła, podawał przez mikrofon rozkazy i krótkie komunikaty o trasie lotu.

– Lecimy na wysokości osiemnastu tysięcy stóp... Na prawo rozciąga się Archipelag Wysp Gramatycznych. Stamtąd rozchodzą się na cały świat reguły i prawidła pisowni... Przed nami na wprost rozpościera się Morze Kormorańskie... Zbliżamy się z szybkością dwustu dwudziestu mil na godzinę do kraju Metalofagów... Jest obecnie jedenasta czterdzieści pięć czasu środkowo- -obiadowego... Wyłączam się...

Bajdoci posilili się pastylkami odżywczymi, w które świdrowce były obficie zaopatrzone. Pastylki zawierały trzy smaki mięsne, trzy jarzynowe i dwa owocowe, a nadto składały się częściowo z wina ananasowego w proszku.

Lot przez dłuższy czas odbywał się pomyślnie. Po bezchmurnym niebie rozpływała się jasność słonecznego dnia, a w dole, poprzez krystalicznie czyste powietrze, widniała powierzchnia morza, przypominająca zieloną pomarszczoną ceratę na biurku. Nagle w odbiornikach rozległ się wzburzony głos pana Kleksa:

– Uwaga, uwaga! Od wschodu zbliża się chmura... Ogromna chmura... Zakrywa cały widnokrąg... Nie mogę jeszcze powiedzieć nic pewnego, ale zdaje się, że to trąba morska... Zniżamy lot! Przygotować pompki ratownicze! Nie bać się! Jestem z wami...

Pan Kleks przetarł wąsami okulary, wychylił się z kabiny i zawisł w powietrzu, trzymając się jedną ręką steru świdrowca. Surdut jego wydął się jak żagiel, a broda, rozwiewana i szarpana przez wiatr, przypominała miotłę czarownicy.

Każdy inny na miejscu pana Kleksa zarządziłby zmianę kierunku lotu, aby w ten sposób uniknąć niebezpieczeństwa. Powtarzam: każdy inny. Ale nie pan Kleks. Ten niezwykły człowiek uważał zboczenie z kursu za niegodne uczonego i leciał prosto na spotkanie chmury. Teraz również Bajdoci dojrzeli na horyzoncie czarną plamę, do której zbliżali się z każdą sekundą. Ogarnęło ich przerażenie. Jeden ze świdrowców oderwał się nawet od pozostałych i zawrócił na południowy wschód.

W głośnikach rozległ się spokojny, ale stanowczy głos pana Kleksa:

– Wyrównać szyk! Powtarzam: wyrównać szyk!...

Pan Kleks nigdy nie wpadał w gniew i nie przemawiał podniesionym tonem, a mimo to zmuszał do posłuchu. Toteż uciekinier po chwili wrócił na swoje miejsce i świdrowce szybowały dalej w wytyczonym kierunku, równo jak klucz żurawi.

– Kapitanie! – zawołał pan Kleks. – Czy barometr spadł?

– Nie spadł.

– Czy siła wiatru uległa jakiejś zmianie?

– Ani trochę.

– W porządku. Zgadza się. Chmura przed nami nie jest zatem trąbą morską... To szarańcza... Wygłodniała podzwrotnikowa szarańcza... Musimy się przez nią przebić... Uwaga... daję pełny gaz!

Świdrowce rozwinęły największą możliwą szybkość i po kilkunastu minutach wbiły się klinem w gęstą masę żarłocznych owadów, które wielkością dorównywały wróblom.

Świdry samolotów dziesiątkowały szarańczę i masakrowały jej zbite szeregi. Kuliste kadłuby świdrowców uderzały z miażdżącą siłą, ale napływające coraz nowe chmary szkodników zalewały przestworze jak fale potopu. Trzepotanie milionów szklistych skrzydeł rozbrzmiewało w powietrzu niczym wiosenna burza, przelewało się nieustającym grzmieniem i ogłuszało Bajdotów.

Pan Kleks, wywieszony na zewnątrz, jedną ręką trzymał się ramy swego świdrowca i wymierzał mordercze kopniaki najbardziej zacietrzewionym napastnikom, dając całej załodze przykład nieustraszonego męstwa.

Bajdoci nacierali w pojedynkę, pikowali, wrzeszczeli jak opętani i wprowadzali zamieszanie wśród szarańczy. Wpadli też na oryginalny pomysł. Zaczęli

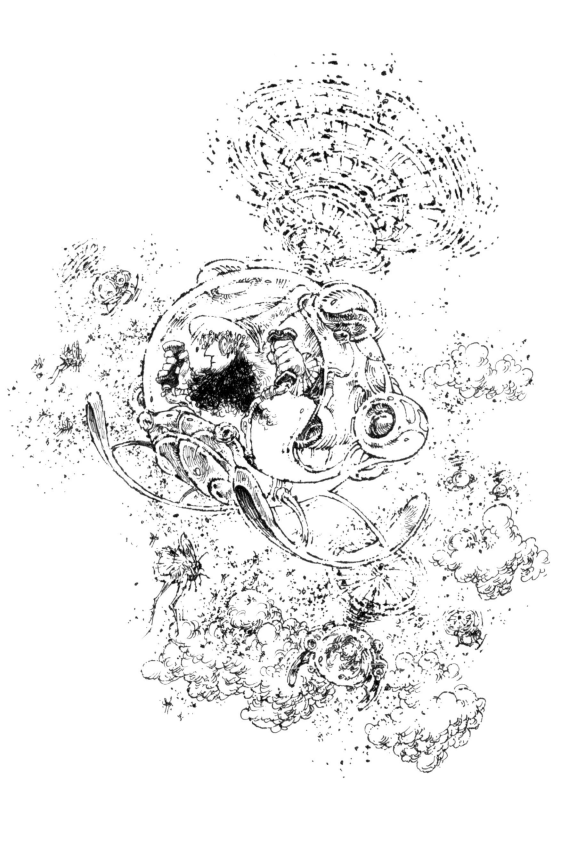

rozsypywać pełnymi garściami
odżywcze pastylki. Wygłodniałe owady
rzucały się na żer, biły się między sobą do upadłego
o każdy okruch. Te, które zdołały połknąć skondenso-
wany pokarm, natychmiast pęczniały i pękały z trza-
skiem jak baloniki.

Po dwóch godzinach zaciekłej walki promienie słońca zaczęły się z wolna przebijać przez rzednące masy
szarańczy. Znów ukazał się czysty błękit nieba i już tylko
opóźnione gromadki owadów tu i ówdzie lśniły jak lot-
ne obłoczki.

– Trzymać się kursu! – zawołał wesoło pan Kleks. Ale
nagle stwierdził brak dwóch świdrowców i równocześnie
dało się słyszeć w odbiorniku żałosne wołanie:

– Halo! halo! Porwała nas szarańcza... Nie możemy się wyrwać! Świdry zaplątały się w skrzydłach owadów... SOS!... SOS!...

Pan Kleks przetarł okulary i ujrzał w oddali masy szarańczy opadające z wolna na wyspę, która wystawała z morza. Dokonał błyskawicznego zwrotu w tył i ruszył jak strzała na pomoc zagrożonym świdrowcom. Bajdoci karnie podążali za nim.

– Nacierać od dołu! – wołał pan Kleks, a głos jego rozbrzmiewał we wszystkich odbiornikach równocześnie. – Musimy starać się otoczyć tych nieszczęśników! Ale nie wolno lądować... Powtarzam: nie wolno lądować!

Dzięki szybkiej akcji ratunkowej panu Kleksowi udało się uwolnić jeden z porwanych świdrowców. Drugi jednak, chociaż miał przetartą drogę odwrotu, z wolna obniżał lot i dał się nieść fali szarańczy.

– Nie lądować! – wołał rozpaczliwie pan Kleks. – Ostrzegam przed lądowaniem!

Ale świdrowiec oddalał się coraz bardziej, a w odbiornikach rozlegały się ochrypłe głosy jego dwuosobowej załogi:

– Widzimy na wyspie wspaniałe miasto... Nadzwyczajne miasto... Postanowiliśmy tutaj zostać... Mamy już dość atramentowej wyprawy! Halo, halo... Szarańcza poleciała dalej... Zniżamy się... Witają nas tłumy kolorowych postaci... Lądujemy! Słyszycie nas? Lądujemy...

Pan Kleks wyprostował ster i zawołał donośnie:

– Wyrównać szyk! Trzymać się kursu!

Gdy załogi świdrowców sprawnie wykonały rozkaz, pan Kleks podał komunikat informacyjny:

– Uwaga, uwaga! Zostawiliśmy za sobą Wyspę Metalofagów. Mieszkańcy tej wyspy nie robią krzywdy ludziom, ale żywią się metalem i pożarliby natychmiast metalowe części naszych świdrowców. Dlatego też nie wróciła stamtąd żadna dotychczasowa wyprawa... Straciliśmy dwóch towarzyszy... Poniosła ich ciekawość... Cenię w ludziach ciekawość, gdyż sprzyja ona poznawaniu życia i świata... Ciekawość jednak musi być rozważna... Rozumiecie teraz, dlaczego nie chciałem dopuścić do lądowania... Waszym rodakom nie stanie się nic złego, ale nigdy już nie wrócą do słonecznej Bajdocji... Uwaga, jest godzina siedemnasta dwadzieścia pięć czasu podwieczorkowego... Wyłączyć guziki ogrzewające... Zbliżamy się do wybrzeży Parzybrocji...

Nadmakaron

Zapadła szybka podzwrotnikowa noc. Pan Kleks po raz ostatni spojrzał na mapę, sprawdził położenie gwiazd i obliczył w pamięci ich wzajemne odległości.

– 67.254.386.957.100.356 – powiedział półgłosem. – Zgadza się. Podzielmy to przez odległość od Ziemi. Otrzymamy liczbę 21.375.162. Uwzględniając kąt nachylenia, wyciągnijmy właściwy pierwiastek. Daje to 8724. Odejmijmy teraz ilość przebytych mil. Pozostaje 129. Zgadza się.

Istotnie, w dole ukazały się światła, które wyglądały z oddali jak rozrzucone na znacznej przestrzeni ogniska.

Pan Kleks przyczesał palcami potarganą brodę, obciągnął surdut i przemówił uroczyście do mikrofonu:

– Panowie... Dokładnie za siedem minut nastąpi lądowanie... Po opuszczeniu świdrowców proszę trzymać się mnie... Kapitanie, widzę pańskie myśli... Nie jestem starym durniem, za jakiego pan mnie uważa... Przeciwnie, jestem dość mądry na to, aby wybaczyć panu małoduszność niegodną Bajdoty... Honor przede wszystkim... Honor, panowie... Wyłączam się...

W odbiornikach rozległy się trzaski, a następnie urywane słowa kapitana, których nikt jednak nie słuchał, bo oto świdrowiec pana Kleksa ruszył pionowo do lądowania. Równocześnie zapłonęło trzynaście czerwonych sygnałów ostrzegawczych i trzynaście świdrowców w jednominutowych odstępach dotknęło ziemi.

Dokoła zalegały ciemności, rozświetlane jedynie błyskami dogasających ognisk. Podróżnicy otoczyli pana Kleksa i przyglądali się z niepokojem dziwacznym domostwom, przypominającym dziuple. Na próżno jednak szukali wzrokiem jakichkolwiek żywych istot. Miasto wyglądało jak wymarłe.

Pan Kleks stanął swoim zwyczajem na jednej nodze, przyłożył do ust obie dłonie zwinięte w trąbkę i odegrał na nich Marsza Ołowianych Żołnierzy.

Jakby na umówiony znak ze wszystkich dziupli zaczęli wyskakiwać wspaniale zbudowani brodaci mężczyźni, o nagich muskularnych torsach, przyodziani w spódnice z kolorowego płótna.

Większość z nich pobiegła rozniecać dogasające ogniska, natomiast siedmiu najdostojniejszych brodaczy zbliżyło się do pana Kleksa i po kolei złożyli mu głęboki ukłon. Następnie uklękli na ziemi i trzykrotnie zamietli ją brodami.

Pan Kleks uczynił to samo, gdyż on jeden spośród wszystkich podróżników posiadał brodę.

Po tych wstępnych oznakach czci Parzybrodzi ustawili się w rząd i jeden z nich przemówił, wyrzucając z siebie gardłowe i nosowe dźwięki, przypominające gulgotanie indyka:

– Gluw-gli-glut-gla-glim-gly-gliw-gla-glus.

Żaden z Bajdotów nic z tego oczywiście nie rozumiał. Tymczasem pan Kleks płynnie odpowiedział po parzybrodzku:

– Glin-gla-gluw-gliz-gla-gluj-gle-glim.

Po czym dodał, zwracając się do Bajdotów:

– Dlaczego macie takie zdziwione miny? Czyżby to i pana dziwiło, kapitanie? Przecież każdy kiep zrozumie, że język parzybrodzki jest niesłychanie łatwy. Trzeba mieć tylko odrobinę oleju w głowie, kapitanie, aby móc się nim posługiwać. Po prostu w każdej sylabie uwzględnia się tylko ostatnią literę. Gilr-glo-gluz-glu-glim-gli--gle-glic-gli-gle?

Parzybrodzi był to naród raczej pierwotny. Mimo ogromnej siły fizycznej odznaczali się łagodnością i niezwykle ujmującym sposobem bycia. Domy swoje budowali z ciosanego drzewa, w kształcie wieżyczek, do których prowadziło jedno okrągłe wejście, nad nim zaś widniały dwa lub trzy otwory zastępujące okna. Ulice przecinały się prostopadle, tworząc regularną szachownicę. Przed każdym domem na paleniskach z cegieł stały niskie gliniane kotły.

Wszyscy Parzybrodzi mieli długie brody w różnych kolorach. Tylko dostojnicy, którzy witali naszych podróżników, wyróżniali się brodami o barwie kremowej, przy czym zarost ich przypominał raczej zwoje makaronu niż normalne owłosienie.

Podchodzili oni kolejno do pana Kleksa, przyglądali się jego brodzie i ze znawstwem, jak handlarze sukna, gnietli ją w palcach.

Dostojnicy o makaronowym zaroście stanowili Ważną Chochlę, czyli rząd Parzybrocji. Najstarszy spośród nich, noszący imię Glaz-glu-glip-gla, piastował godność Nadmakarona, co odpowiadało godności Wielkiego Bajarza w Bajdocji.

Nadmakaron ujął pana Kleksa pod ramię i zaprowadził podróżników do dziupli rządowej. Była to wielka sala, gdzie pośrodku stał ogromny stół, a pod ścianami wisiały liczne hamaki uplecione z kolorowych sznurów. Płonące na ulicy ogniska rzucały przez okna migotliwe światło. Po chwili urodziwe Parzybrodki wniosły na tacach dymiące talerze zupy z makaronem i zapraszały gości do jedzenia uprzejmym: „glip-glor-glo-glis-gli-glim-gly". Pan Kleks oraz Bajdoci zasiedli do stołu i z wielkim apetytem spałaszowali po trzy talerze smakowitej zupy. Innych potraw nie znano w tym kraju.

Po wieczerzy pan Kleks, który zdołał już świetnie opanować miejscowy język, zawołał po parzybrodzku:

– Szanowny Nadmakaronie i wy, członkowie Ważnej Chochli! Cieszymy się niezmiernie, że przybyliśmy do waszego kraju, o którym tak wiele słyszeliśmy. Dziękujemy za okazaną nam gościnność, której nie zamierzamy nadużywać. Mam nadzieję, że aczkolwiek nie jesteśmy sąsiadami, stosunki sąsiedzkie pomiędzy Bajdocją i Parzybrocją ułożą się jak najpomyślniej. Glow-gli-glow-gla-glut! Co w naszym języku brzmi „Wiwat".

– Wiwat! – zawołali chórem Bajdoci.

Nadmakaron wstał, pogładził się po brodzie i rzekł:

– Jesteśmy wprawdzie ludem raczej pierwotnym, nie znamy zdobyczy nowoczesnej techniki, nie znamy sztucznego światła, rur wodociągowych ani kanalizacji, słowem, tych wszystkich urządzeń, których główną właściwością jest to, że nieustannie się psują. Jednakże, mimo takiego zacofania, wiemy wszystko, co wiedzieć warto. Słyszeliśmy też o tobie, czcigodny doktorze filozofii, chemii oraz medycyny. Imię sławnego uczonego, Ambrożego Kleksa, znane jest u nas tak samo, jak imię niezapomnianego założyciela Parzybrocji – Zupeusza Mruka, który był pradziadkiem obecnego Wielkiego Bajarza Bajdocji. Przed wielu, wielu laty dzielny ten żeglarz wylądował tu z grupą rozbitków, a my wszyscy jesteśmy ich potomkami. Zupeusz Mruk stworzył nasz język, stworzył nasze budownictwo i zaszczepił nam życiodajne brody, o których dowiecie się jutro. A teraz udajcie się na spoczynek, bo niewątpliwie jesteście strudzeni długotrwałą podróżą. Glud-glo-glib-glur-gla-glin-glo-glic.

– Dobranoc – odpowiedzieli chórem Bajdoci, którzy nauczyli się już rozumieć język Parzybrodów.

Gdy gościnni gospodarze opuścili salę, pan Kleks podrapał się znacząco w głowę i stojąc na jednej nodze, powiedział:

– Podróże kształcą. Ale bajki kształcą w stopniu znacznie większym. Wszystko to, co mówił Nadmakaron, Wielki Bajarz wymyślił o wiele wcześniej, a doktor Paj-Chi-Wo opowiadał mi pięćdziesiąt lat temu. Chodźmy spać. Dobranoc, kapitanie. Dobranoc, marynarze.

Po tych słowach zdjął surdut, wyciągnął się na hamaku i zasnął, pomrukując od czasu do czasu jak kot.

Bajdoci poszli za jego przykładem.

Życiodajne brody

Nazajutrz wczesnym rankiem obudziła pana Kleksa cicha muzyka. To jeden z bajdockich marynarzy imieniem Ambo, wyciągnięty w hamaku, grał na swojej nieodłącznej bajdolinie starą marynarską piosenkę:

Prowadź, prowadź, kapitanie,
Okręt szybki!
Daj nam, daj nam na śniadanie
Złote rybki.

Pan Kleks stanął na środku sali, włożył okulary i na dwóch palcach wygwizdał pobudkę. Po chwili Parzybrodki wniosły na tacach filiżanki z zupą pomidorową i rogaliki z makaronu.

Gdy podróżnicy zjedli śniadanie i wyszli na ulicę, miasto w świetle dnia wydało im się nieporównanie piękniejsze. Obok domów, które wyglądały jak wielkie drewniane okrąglaki, krzątały się Parzybrodki odziane w kolorowe spodnie tudzież kamizelki ze słomianej plecionki. Tłumy dzieci bawiły się na placykach w „berka" albo w „klasy". Ulice tonęły w zieleni i w kwiatach, a barwne kolibry i papugi, oswojone jak kury, dziobały ziarnka, które im z okien domów rzucały parzybrodzkie dziewczęta.

Największe jednak zainteresowanie pana Kleksa obudziła praca mężczyzn. Siedzieli oni przed domami dokoła kotłów i parzyli we wrzątku swoje brody. Kobiety podtrzymywały ogień na paleniskach, a od czasu do czasu zanurzały w kotłach drewniane chochle, mieszały wrzątek i próbowały jego smak.

Nietrudno było zauważyć, że każda z życiodajnych bród, w zależności od barwy, zawierała składniki o odrębnym smaku. Były więc brody pomidorowe, buraczane, fasolowe, cebulowe, szczawiowe, a z ich połączeń powstawały inne, nader urozmaicone zupy. Stanowiły one wyłączne pożywienie ludności Parzybrocji. Na tym jednak nie koniec. Każdy mężczyzna w miarę potrzeb smarował sobie brodę pomadą, stanowiącą odpowiednią przyprawę. Wśród pomad pan Kleks rozpoznał pomadę chrzanową, solną, pieprzową i majerankową, ale były i takie, których wielki uczony nie potrafił określić, chociaż dobrze znał się na kuchni.

– Genialne! Fantastyczne! – wołał raz po raz i biegał z łyżką od kotła do kotła, kosztując wszystkich rodzajów zup.

Podziw jego jednak przekroczył wszelkie granice, gdy na ulicy ukazali się członkowie Ważnej Chochli i w różnych kotłach zanurzali po kolei swoje brody, dodając w ten sposób do zup odpowiednie porcje makaronu.

Po dostatecznym wyparzeniu bród ich właściciele powyciągali je z kotłów, a następnie wytarli ręcznikami do sucha. Dziewczęta przyniosły talerze. Jedne nalewały zupę, inne częstowały gości i rozdawały posiłek domownikom.

Zjawił się również Nadmakaron, którego powitano z ogromną czcią. Gawędząc z panem Kleksem, ten najwyższy dostojnik Parzybrocji wyjaśnił mu, że brody makaronowe są niesłychanie trudne do zaszczepienia i jedynie siedmiu szczególnie zasłużonych Parzybrodów może się nimi poszczycić, ale za to muszą użyczać makaronu pozostałej ludności, zwłaszcza do rosołu i zupy pomidorowej.

– Wybaczy Wasza Dostojność – rzekł pan Kleks z pewnym zakłopotaniem w głosie – jestem wprawdzie profesorem chemii na uniwersytecie w Salamance, ale chciałbym zapytać, czy brody, raz wyparzone, nadają się do dalszego użytku?

– Jak najbardziej – odparł Nadmakaron z pobłażliwym uśmiechem. – Substancje zawarte w parzybrodzkich brodach nie wyczerpują się nigdy, podobnie jak nie wyczerpują się bezwartościowe składniki pańskiej brody, chociażby wyparzył ją pan nawet trzy razy dziennie. To chyba oczywiste?... Chciałbym nadto wyjaśnić – ciągnął dalej Nadmakaron – że Parzybrodzi o różnych kolorach bród jednoczą się w bractwa celem wymiany i łączenia smaków. Przy czym siedem bractw tworzy krewniactwo. My, posiadacze bród makaronowych, obsługujemy wyłącznie krewniactwa, gdyż nie bylibyśmy w stanie zaopatrywać każdego kotła z osobna.

Bajdoci słuchali opowiadania Nadmakarona z ciekawością, ale bez zachwytu.

Pan Kleks, który wyjął właśnie z kieszeni aparat do odgadywania myśli, powiedział z przekąsem do swoich towarzyszy:

– Panowie, o ile mogę stwierdzić, myślicie wyłącznie o befsztykach i pieczeni wołowej. Przyjrzyjcie się jednak, jaka wspaniała rasa ludzi wyrosła na parzybrodzkich zupach. Mieszkańcy tego kraju nie układają wprawdzie bajek, ale za to łączą w sobie urodę ciała z pogodą ducha. Tak, tak, panowie, bezmięsna kuchnia wydelikaca podniebienia i wpływa znakomicie na porost bród.

Po obiedzie członkowie Ważnej Chochli pod wodzą Nadmakarona poprowadzili gości na zwiedzanie miasta.

W muzeum pamiątek wisiał ogromny portret Zupeusza Mruka, uderzająco podobnego do Wielkiego Bajarza. Na postumentach stały gliniane posążki poprzednich Nadmakaronów, a pod szklanym kloszem widniało coś, co przypominało kawałek żelaza. Ze słów gospodarzy istotnie wynikało, że był to jedyny kawałek metalu, jaki ocalał w Parzybrocji.

– Przed trzydziestoma laty – powiedział ze smutkiem Nadmakaron – najechały nasz kraj hordy Metalofagów, którzy zrabowali i pożarli wszystkie metalowe przedmioty, zgromadzone w wyniku wielu niebezpiecznych wypraw przez parzybrodzkich żeglarzy. Odtąd postanowiliśmy obchodzić się bez metalu. Używamy jedynie gliny, drewna i szkła. W ten sposób jesteśmy zabezpieczeni przed nowym najazdem dzikusów z Metalofagii.

Zwiedzanie miasta potwierdziło słowa Nadmakarona. Zarówno zakłady tkackie, jak i warsztaty stolarskie zaopatrzone były w maszyny i przyrządy ze szlifowanego szkła, palonej gliny oraz hartowanego drewna.

Przed wieczorem Ważna Chochla wydała na cześć gości przyjęcie. Na długich stołach pod palmami ustawiono dzbany z nektarem kwiatowym o różnych woniach i smakach oraz frykasy z eukaliptusa, daktyli i orzechów.

Tymczasem Parzybrodzi krzątali się już przy kotłach, zaparzając brody do wieczerzy.

Nagle pan Kleks zamilkł, zerwał się z miejsca i zawołał, wskazując na brodacza z czarnym zarostem:

– Jest!

Nadmakaron nie rozumiejąc, co znaczy okrzyk pana Kleksa, odpowiedział spokojnie:

– Piękna broda, nieprawdaż? Mamy tylko pięć takich w naszym mieście. Gotujemy na nich czerninę.

Pan Kleks podbiegł do czarnego brodacza i gwałtownym ruchem zanurzył jego brodę w najbliższym kotle.

– Jest! – zawołał z zachwytem. – Kapitanie, proszę spojrzeć! Przecież to najprawdziwszy atrament!

Wyciągnął z kieszeni pióro, zamoczył je w czarnym płynie i szybko zaczął kreślić w notesie swój podpis, ozdobiony mnóstwem zamaszystych zawijasów.

– Patrzcie – wołał do Bajdotów – co za atrament! Genialny! Fantastyczny! Musimy dostać tę brodę za wszelką cenę! Zabierzemy ją do Bajdocji. Będziemy mieli atrament! Niech żyje czarna broda!

Nadmakaron dopiero teraz zrozumiał, o co chodzi. Ujął pana Kleksa pod ramię i oświadczył uroczyście:

– Ja i mój lud bylibyśmy niezmiernie szczęśliwi, gdyby leżało w naszej mocy zaspokoić życzenie tak wielkiego człowieka i uczonego. Bylibyśmy dumni, gdybyśmy

mogli potomkowi Zupeusza Mruka ofiarować nie tylko jedną, ale sto życiodajnych bród. Niestety, brody
nasze są ściśle związane z organizmem i po obcięciu
więdną jak trawa. Nie miałbyś z nich pożytku, drogi
przyjacielu.

– Zmartwiłeś mnie, dostojny panie – rzekł cicho pan
Kleks. – Bardzo mnie zmartwiłeś. Czy pozwolisz wobec
tego, aby jeden z twoich rodaków opuścił wasz kraj i udał
się z nami do Bajdocji? Obsypiemy go kwiatami i bajkami, a on w zamian będzie nam zaparzał swoją piękną,
czarną, atramentową brodę...

– O, nie! To niemożliwe! – oświadczył Nadmakaron. – Nasz organizm nie znosi żadnych pokarmów
poza parzybrodzkimi zupami. Gdyby ten, o którego
chodzi, opuścił kraj, byłby do końca życia skazany na
spożywanie czerniny z własnej brody. A to jest przecież
niemożliwe, gdyż tylko odpowiednie mieszanki naszych
zup zaspokajają niezbędne potrzeby organizmu. Nie
mówmy o tym więcej.

Po czym, zwracając się do Bajdotów, powiedział
uprzejmie:

– Panowie, prosimy na wieczerzę!

Pan Kleks nie miał apetytu. Trzymał się na osobności, rozmyślał, stojąc na jednej nodze, wreszcie rzekł do
swoich towarzyszy:

– Jutro, skoro świt, ruszamy w dalszą drogę. A teraz
idziemy spać.

Nad miastem zapadła noc. Dogasały ogniska. Parzybrodzi nie używali światła, a zastępowała je fosforowa przyprawa do zup, która pozwalała im widzieć w ciemności. Pan Kleks i Bajdoci musieli po omacku dobrnąć do swoich hamaków.

Podróż w beczce

O świcie kapitan ustawił marynarzy w dwuszereg i zameldował o tym panu Kleksowi.

– Ma pan teraz bardzo ładne myśli, kapitanie – zauważył pan Kleks, zaglądając do swego aparatu.

Skoro podróżnicy opuścili rządową dziuplę, znaleźli się od razu przed szpalerem dzieci, które każdemu wręczyły po bukiecie kwiatów. Droga do pałacu, gdzie stały świdrowce, również usłana była kwiatami. Nadmakaron i Ważna Chochla powitali gości, zamiatając ziemię brodami.

Jakież było przerażenie pana Kleksa, gdy okazało się, że ze świdrowców zostały tylko mizerne szczątki, które tu i ówdzie poniewierały się w trawie. Miało się wrażenie, że przez plac przeszedł huragan, który zmiażdżył kabiny, pogruchotał silniki i wszystko obrócił w perzynę.

– Co to znaczy? – zawołał pan Kleks, prychając z gniewu. – Kto ośmielił się zniszczyć nasze samoloty?

– Wybacz – wymamrotał Nadmakaron. – To nasze dzieci... Nie mają żadnych zabawek, a w świdrowcach tyle było różnych kółek, kółeczek i sprężynek... Biedne dziatki nie mogły widocznie oprzeć się pokusie i rozebrały wszystko na kawałki... Nie powinieneś gniewać się na nie za tę niewinną psotę. Nie przypuszczały, że świdrowce będą wam jeszcze potrzebne. Teraz mają mnóstwo drobiazgów do zabawy... Spójrz, czy to nie wzruszający widok?

Pan Kleks przypomniał sobie, że już poprzedniego dnia zauważył w rękach dzieci różne metalowe przedmioty, co mu nasunęło pewne wątpliwości o najeździe Metalofagów na Parzybrocję. Teraz ze zgrozą spoglądał na pogięte tłoki, na połamane tryby, na pokrzywione stery i przekładnie, na pokręcone płaty aluminiowej blachy, z których dzieci na skwerach budowały sobie domki.

– Jesteśmy zgubieni! – jęknął kapitan.

Bajdoci podnieśli rozpaczliwy lament. Marynarz Ambo rzucił się między dzieci i już miał zacząć je okładać swoją bajdoliną, kiedy pan Kleks gwizdnął rozkazująco na palcach.

– Proszę zachować spokój! – rzekł dobitnie. – Trzymać się mnie! Wiem, co należy robić!

Wśród Bajdotów zapanowała cisza.

Nadmakaron stał z wyciągniętą prawą ręką, a palcami lewej przebierał frędzle swojej makaronowej brody.

Pan Kleks zwrócił się do niego:

– Spotkało nas wielkie nieszczęście. Straciliśmy nasze świdrowce. Nie gniewamy się na dzieci, bo nie wiedziały, że wyrządzają nam niepowetowaną szkodę. Niemniej jednak musimy ruszyć w dalszą drogę. Liczymy na waszą pomoc. Dajcie nam statek albo jakąś dużą łódź, abyśmy mogli jeszcze dzisiaj stąd odpłynąć.

Członkowie Ważnej Chochli pokiwali głowami i udali się na naradę. Nadmakaron drapał się w nos i rozmyślał. Po chwili przywołał makaronowych dostojników i długo półgłosem coś im perswadował. Wreszcie zwrócił się do pana Kleksa:

– Czcigodny panie, postanowiliśmy oddać do waszej dyspozycji nasz najcenniejszy budynek, naszą rządową dziuplę. Wprawdzie bardziej przypomina ona beczkę niż okręt, ale zbudowana jest solidnie i można na niej popłynąć nawet na koniec świata. Za godzinę dostarczymy ją na brzeg. Idźcie nad morze i czekajcie na nas.

Pan Kleks ze łzami w oczach uścisnął Nadmakarona i opanowując wzruszenie, powiedział:

– Jesteście prawdziwie szlachetnym i wspaniałomyślnym narodem. Cieszymy się, że dostarczyliśmy waszym dzieciom rozrywki i zabawy. Niech im nasze świdrowce pójdą na zdrowie!

– Niech żyje pan Kleks! – zawołał z uniesieniem Nadmakaron.

A dzieci zaczęły skandować chórem:

– Gluk-glil-gle-gluk-glis! – i tłumnie odprowadziły podróżników na sam brzeg morza.

Niebawem w oddali rozległo się głuche dudnienie i na ukwieconym wzgórzu ukazała się olbrzymia beczka. Toczyło ją czterdziestu czterech Parzybrodów, a za nimi gromada dziewcząt niosła na tacach talerze z zupą szczawiową.

Z zachowaniem największej ostrożności beczkę spuszczono na wodę. Po zjedzeniu zupy kapitan wydał komendę:

– Załoga na stanowiska!

Wkrótce zjawił się Nadmakaron i Ważna Chochla, a za nimi kilku tragarzy, którzy przywieźli na taczkach zwoje lin wysmarowanych obficie żywicą.

Liny te ze szczytu beczki zarzucono do wody. Po chwili wynurzyło się stado rekinów. Żarłocznie wpiły się zębami w liny, po czym nie mogły się już od nich uwolnić, bowiem gęsta żywica zlepiła im szczęki na podobieństwo ciągutek.

– To jest mój wynalazek – oświadczył z dumą Nadmakaron. – Rekiny będą was holowały. A oto żerdź, która zastąpi wam ster.

Pan Kleks serdecznie pożegnał Parzybrodów, wdrapał się na szczyt beczki i wysunął żerdź naprzód, pod same nosy rekinów. Gdy załoga mocno przytwierdziła do beczki jeden koniec żerdzi, wtedy do drugiego jej końca przywiązał się marynarz Ambo sznurami, które kołysały go jak huśtawka.

Na widok tak smakowi-
tego kąska rekiny szarpnęły, pociągając
liny i równocześnie przywiązaną do nich
beczkę. Im szybciej goniły upragniony żer,
tym chyżej ślizgał się po falach niezwykły
statek. Załoga zeszła na dno beczki, a tylko pan
Kleks stał na wierzchu i spoglądał w stronę lądu.

„Znowu ruszam w drogę bez atramentu – myślał ze
smutkiem. – Ale nie tracę nadziei. O, nie!"

Tak, tak, moi drodzy. Wielcy ludzie nigdy nie tracą
nadziei.

Rekiny gnały przed siebie jak opętane, wściekle bijąc
ogonami o wodę. Statek oddalał się coraz bardziej od
brzegów Parzybrocji. Na wzgórzu widniała jeszcze przez
pewien czas wysoka sylwetka Nadmakarona, ale nieba-

wem i ona zniknęła z oczu, a wąski skrawek ziemi zasnuła mgła.

Przez pierwsze dwa dni żegluga odbywała się nader sprawnie. Pogoda sprzyjała, a pomyślna wieja popychała nawę zgodnie z przewidzianym kursem. Ambo kołysał się na końcu żerdzi i podsycał żarłoczność rekinów, które nie szczędząc wysiłku, pruły fale i niosły statek z szybkością dwunastu supełków na godzinę. Pan Kleks zagłębiał się w samoczynną mapę, stojąc na rękach. Obliczał odległości. Równocześnie raz po raz wymachiwał w górze nogami, wskazując w ten sposób właściwy kierunek żeglugi. Kapitan odpowiednio przesuwał żerdź w prawo lub w lewo i w ten sposób sterował statkiem. Załoga miała jednak bardzo kwaśne miny. Parzybrodzi zaopatrzyli bowiem statek w dwa zbiorniki zupy szczawiowej i ten jednostajny posiłek przyprawiał marynarzy o mdłości. Toteż pan Kleks musiał co pewien czas odrywać się od mapy i podnosić Bajdotów na duchu.

– Co za zupa! – wołał, głaszcząc się po brzuchu. –
Pyszności! Nigdy nie jadłem nic równie smacznego. Trzeba być skończonym durniem, żeby nie delektować się
tak wybornym smakiem. Bodajbym do końca życia jadał taką zupę!

Po tych słowach oblizywał się, wysuwając język niemal do połowy brody, po czym pałaszował dla przykładu
czubaty talerz zupy.

Tymczasem rekiny, pozbawione żeru, zaczęły stopniowo słabnąć. Po dwóch dniach mogły zdobyć się już
tylko na pojedyncze zrywy. Resztkami sił wyskakiwały
nad powierzchnię wody w nadziei, że zdołają wreszcie
pochwycić Amba. Żarłocznie szczerzyły zęby, po czym
z pluskiem opadały na fale.

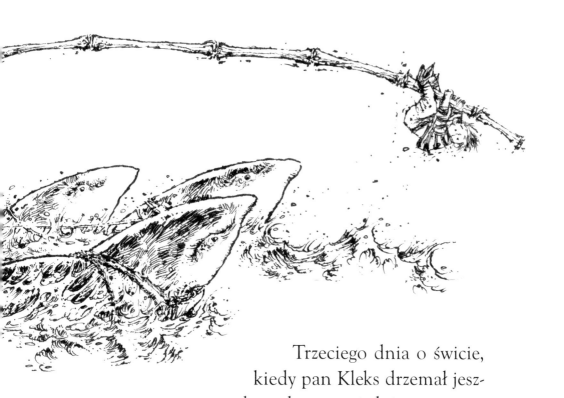

Trzeciego dnia o świcie, kiedy pan Kleks drzemał jeszcze w hamaku, pogwizdując przez sen Marsza Krasnoludków, na dno statku zbiegł przerażony kapitan i zawołał:

– Wszyscy na stanowiska! Statek w niebezpieczeństwie!

Pan Kleks, nie przestając mruczeć i pogwizdywać, odbił się nogami od hamaka i dał susa na pokład. Natychmiast otoczyła go wystraszona załoga. Dął straszliwy wicher. Broda pana Kleksa rozwiewała się jak postrzępiony żagiel. Oszalałe z głodu rekiny dostały kręćka i goniąc za własnymi ogonami, wprawiały statek w ruch wirowy. Wśród huku zawiei parzybrodzka beczka kręciła się na wzburzonych falach jak karuzela.

Załogę ogarnęła panika. Jeden z marynarzy zdjął buty i rzucił je w spienione nurty. Inni odrywali guziki od marynarskich bluz i ciskali je rekinom w oczy. Wzmogło to wściekłość wygłodniałych bestii do tego stopnia, że wparły się łbami w lewy bok statku i usiłowały go wywrócić. Sytuacja stawała się rozpaczliwa.

Wtedy to właśnie rozległ się potężny głos pana Kleksa:

– Zachować spokój! Kto nie zastosuje się do moich rozkazów, zostanie wyrzucony za burtę! Jestem z wami i potrafię was ocalić! Wszyscy na stanowiska!

Marynarze natychmiast opanowali trwogę. Nawet Ambo przestał szczękać zębami.

– Kapitanie! – grzmiał dalej głos pana Kleksa. – Zarządzam wylanie do morza całego zapasu zupy szczawiowej!

Niezwłocznie na rozkaz kapitana ośmiu rosłych Bajdotów skoczyło w głąb statku. Po chwili zupa z obu zbiorników spływała z burt na wzburzoną wodę. Zgęstniałe fale opadły. Rekiny poczuły w pyskach smakowitą strawę i uspokoiły się. Pożywna zupa szczawiowa sączyła się im przez zaciśnięte zęby do wygłodniałych żołądków.

Pan Kleks jedną ręką uchwycił się żerdzi i na wydętym przez wiatr surducie unosił się nad wodą jak balon, badając sytuację. Po powrocie na pokład rzekł do kapitana:

– Na rekiny nie możemy już dłużej liczyć. Wszystkie zapadły na szczękościsk, owrzodzenie żołądków, zanik nerek i puchlinę wodną. Zajrzałem im w oczy. Na dnie oka każdy z nich ma wypisaną swoją chorobę. Długo nie pociągną. Gdy dostaną drgawek, zatopią nam statek. Zupa nie przywróci im sił ani zdrowia.

– Co robić w tej sytuacji? – zapytał pobladły kapitan.

– Przeciąć liny – oświadczył pan Kleks, oburącz wyżymając zmoczoną brodę.

Kapitan wyciągnął z pochwy swój marynarski kordelas, wyostrzył go o podeszwę buta i poprzecinał liny. Uwolnione bestie morskie wywróciły się brzuchami do góry i zniknęły pod wodą.

Statek pozbawiony balastu, gnany wiatrem, podyrdał przez fale na podobieństwo korka. Sztorm ustał. Zmordowani marynarze poczuli ostry głód.

– Cóż, zupa szczawiowa nie smakowała wam – powiedział z przekąsem pan Kleks. – Teraz przynajmniej nie będziecie grymasili.

– Jeść! – zawołał Ambo.

– Jeść! – wrzasnęli chórem Bajdoci.

Pan Kleks sięgnął do przepastnych kieszeni swoich spodni i wyciągnął z nich garść ocalałych odżywczych pastylek, które otrzymał na drogę od Patentoniusza XXIX. Kapitan ustalił racje dzienne po ćwierć pastylki na każdego członka załogi.

– Woda nam się kończy – powiedział z troską w głosie. – Nie wiem, czy przetrzymamy do końca tygodnia.

Ale pan Kleks tego nie słyszał. Nie chciał jeść ani pić, tylko stał na jednej nodze i myślał. Podczas badania rekinów z kieszeni surduta wypadły mu podarunki Wielkiego Wynalazcy. Dalekowzroczne okulary i maszynka do zgadywania myśli poszły na dno. Samoczynna mapa unosiła się w oddali na falach. Można było na niej dojrzeć jedynie kawałek Morza Kormorańskiego i skrawek wyspy, która, do połowy obgryziona przez ryby, przypominała raczej półwysep.

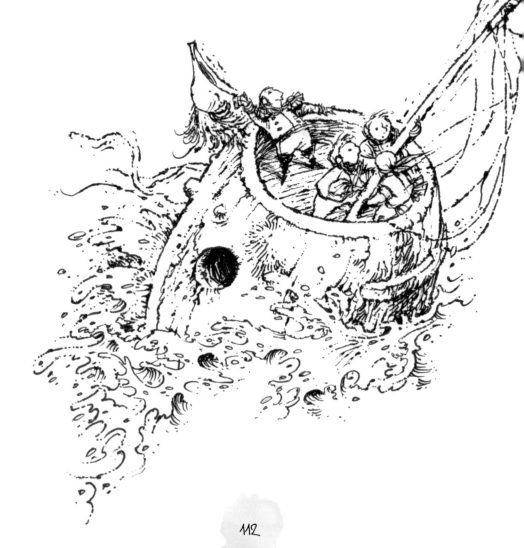

Każdy inny popadłby w rozterkę. Powtarzam – każdy inny. Ale nie pan Kleks. Ten wielki uczony stał na jednej nodze i rozmyślał. Broda jego odchylała się tym razem na południe. Po pewnym czasie zawołał marynarzy, kazał im ustawić w pozycji pionowej żerdź, do której poprzednio był uwiązany Ambo, i mocno trzymać w rękach. Następnie wdrapał się na jej szczyt i trzymając się jedną ręką, zawisł w powietrzu. Wiatr wydął jego obszerny surdut, kieszenie i kamizelkę jak żagle. Po chwili statek mknął w kierunku wskazanym przez brodę pana Kleksa. Marynarze kurczowo utrzymywali żerdź w pozycji pionowej, a kapitan zaintonował pomocniczy hymn Bajdocji:

Kiedy siły swe podwajasz,
Brzmi donośniej hasło to:
Niech nam żyje Wielki Bajarz
Sto lat, sto lat, sto lat, sto!

Wszyscy ochoczo podchwycili tę wspaniałą pieśń na cześć Wielkiego Bajarza, po czym zapadła cisza. Każdy z Bajdotów starał się ułożyć w myśli swoją codzienną bajkę.

Kiedy zapadła noc, pan Kleks zsunął się po żerdzi na dół, a załoga udała się na spoczynek.

– Ja zostaję na wachcie – oświadczył pan Kleks. – Umiem spać z otwartymi oczami, a poza tym lubię przyglądać się księżycowi. Mój profesor z Salamanki nauczył mnie posługiwać się siłą przyciągania księżyca w żegludze dalekomorskiej.

Niebawem w głębi statku rozległo się chrapanie dwudziestu siedmiu marynarzy. Tylko kapitan opowiadał przez sen bajkę o rekinie, któremu popsuł się ząb, więc zaplombował go sobie złotą rybką.

Pan Kleks czuwał na pokładzie zapatrzony w księżyc. Tuż po północy dostrzegł na nim odbicie trójmasztowca, którego żagle podobne były do trzech obłoków. Na podstawie pobieżnych obliczeń pan Kleks ustalił kurs trójmasztowca, jego odległość oraz przeciętną szybkość.

„O piątej piętnaście zobaczymy go z prawej burty – pomyślał. – O piątej czterdzieści pięć będziemy go mieli na odległość głosu. O piątej trzeba zrobić pobudkę."

Pomyślawszy tak, pan Kleks rozłożył na pokładzie swój surdut i mruknął do siebie:

– Teraz Ambroży spać się położy.

Wielki uczony lubił niekiedy na osobności mówić do rymu.

Chmury przysłoniły księżyc. W nocnej ciszy słychać było jedynie chrapanie Bajdotów, paplaninę kapitana i plusk fal. Na powierzchni morza błyskały gdzieniegdzie elektryczne ryby. Pan Kleks rozciągnął się na surducie i zasnął z otwartymi oczami.

Przylądek Aptekarski

Punktualnie o godzinie piątej czasu śniadaniowego poderwał marynarzy doniosły głos:

– Pobudka! Wstać!

Gdy załoga wyległa na pokład, pan Kleks rozczesał palcami brodę i uroczyście oznajmił:

– Kapitanie! Marynarze! Bajdoci! Za chwilę ujrzycie na widnokręgu zbliżający się trójmasztowiec. Nie ustaliłem jeszcze, pod jaką płynie banderą. Znam wielu kapitanów żeglugi dalekomorskiej. Trójmasztowiec najprawdopodobniej przyjmie nas na swój pokład i będziemy szczęśliwie kontynuować naszą wyprawę. Atrament przede wszystkim! Spocznij!

Po tym przemówieniu załoga dostała swoją porcję odżywczych pastylek, popiła resztą wody i oddała się zwykłym zajęciom. Morze było spokojne i gładkie jak jezioro. Śpiewające ryby od czasu do czasu wysuwały na powierzchnię owalne pyszczki i wtedy rozlegały się ciche dźwięki, przypominające bzykanie komarów lub tony pozytywki.

Zgodnie z zapowiedzią pana Kleksa, po pewnym czasie na tle tarczy wschodzącego słońca ukazały się trzy rozpięte żagle, połyskujące bielą i srebrem.

Marynarze pobiegli na dziób statku i wrzeszczeli wniebogłosy, wymachując rękami:

– O, hej! SOS! Cip, cip, cip! Na pomoc!

Pan Kleks przerwał te niepoczytalne okrzyki i zarządził zbiórkę. Kazał marynarzom ustawić się w piramidę, wdrapał się na jej szczyt i w milczeniu zaczął wpatrywać się w dal. Wszyscy znamy doskonale wynalazczość wielkiego uczonego. Tym razem pan Kleks zrobił zeza do środka i skrzyżował spojrzenia, dzięki czemu podwoił siłę wzroku. Po chwili Bajdoci usłyszeli jego urywane słowa:

– Widzę... Na pokładzie uwijają się postacie w bieli... Bandera... Nie mogę dojrzeć... Tak, tak! Teraz widzę... Trupia główka. Muszę przyjrzeć się dokładniej... Rzeczywiście... Trupia główka... Rozumiem... Statek korsarski... Wezmą nas do niewoli i będą żądali okupu... Nie trząść się, do stu piorunów! Nie ja pierwszy stanę się jeńcem korsarzy... Przed wiekami spotkało to samo Juliusza Cezara... Który tam się kiwa? Nie bać się! Ambroży Kleks jest z wami... Co?... Nie wiecie, kto to był Juliusz Ce...

Zdania tego, niestety, pan Kleks nie zdołał dokończyć. Marynarzy obleciał nagle taki strach, że piramida zachwiała się, a nasz uczony runął przez burtę do morza i zniknął w topieli. Niebawem jednak wypłynął na powierzchnię, wypuszczając z ust fontanny wody jak wieloryb. Obok niego zjawiły się nagle dwie ryby-piły.

– Przepiłują go! – wrzasnął rozpaczliwie bosman Terno.

– Człowiek za burtą! – krzyknął kapitan stosownie do obowiązujących przepisów.

Ale zanim ktokolwiek zdążył rzucić się na ratunek, pan Kleks ze zwinnością wprawnego jeźdźca wskoczył na grzbiet jednej z ryb, chwycił ją za płetwy i zmusił do przebicia piłą drugiego napastnika. Następnie podpłynął do statku, kazał spuścić żerdź i wdrapał się po niej na pokład.

– Nie ma nic zdrowszego niż kąpiel morska – oświadczył wesoło.

Tymczasem trójmasztowiec zbliżył się już na tyle, że można było rozróżnić na nim poszczególne postacie, odziane w białe kitle.

– Wyglądają jak lekarze albo sanitariusze – zauważył kapitan.

– Dostrzegam wyraźnie nazwę statku! – zawołał Ambo.

– Nie drzyj się, bo mi bębenki w uszach popękają – skarcił go pan Kleks. – Od dawna widzę napis na kadłubie.

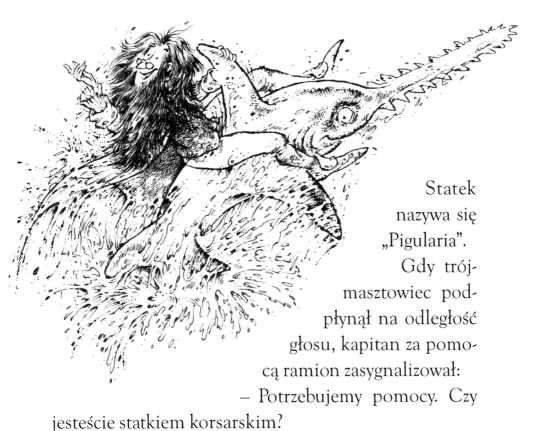

Statek nazywa się „Pigularia".

Gdy trój-masztowiec pod-płynął na odległość głosu, kapitan za pomocą ramion zasygnalizował:

– Potrzebujemy pomocy. Czy jesteście statkiem korsarskim?

Z „Pigularii" człowiek w białym kitlu odpowiedział, machając dwiema chorągiewkami:

– Jesteśmy okrętem flagowym najmiłościwiej nam panującego magistra Pigularza II, udzielnego Prowizora Przylądka Aptekarskiego i Obojga Farmacji. Przyjmiemy was na pokład „Pigularii". Trzymajcie się nawietrznej strony. Zaczynamy manewrować. Podpływamy!

– Niech żyje Pigularz II! – zawołał kapitan.

– Niech żyje! – podchwycili Bajdoci.

– Rozumiem – rzekł po namyśle pan Kleks. – Trupia główka to znak używany przez aptekarzy do oznaczania leków trujących i niebezpiecznych. Z korsarzami łatwiej byłoby się dogadać. Ale trudno, nie mamy wyboru.

„Pigularia", korzystając z łagodnej bryzy, zbliżyła się do statku Bajdotów i oparła się burtą o burtę.

– Przesiadamy się – powiedział pan Kleks, po czym pierwszy dał susa na pokład trójmasztowca. Za nim gęsiego ruszyła załoga beczki, a na końcu kapitan. Po chwili rządowa dziupla Parzybrodów, pusta i żałosna, samotnie kołysała się na falach.

Na „Pigularii" naszych podróżników przyjęto nader uprzejmie. Obie załogi ustawiły się na pokładzie naprzeciwko siebie i obaj kapitanowie statków oddali sobie należne honory. Pan Kleks stał z boku i bacznie przyglądał się ceremonii. Wszyscy poddani Pigularza II odziani byli w czyste białe kitle. Twarze ich zdobiły wąsiki i krótkie bródki, przystrzyżone w kształcie klina. Bił od nich ostry zapach ziół leczniczych.

Po zakończeniu wstępnej prezentacji na pokład wszedł paradnym krokiem Pierwszy Admirał Floty w pióropuszu na głowie i w kitlu ozdobionym złotymi galonami. Skłonił się przed panem Kleksem i rzekł po łacinie:

– Jestem Alojzy Bąbel, wychowanek słynnej Akademii Ambrożego Kleksa.

Zagrzmiały trąby, rozległy się hymny Bajdocji oraz Obojga Farmacji, a także prywatny hymn naszego uczonego. On sam stał dumnie wyprostowany, z wypiętym

brzuchem. Gdy przebrzmiały hałaśliwe dźwięki hym-
nów, powiedział wzruszonym głosem:

— Jam jest Ambroży Kleks.

Pierwszy Admirał Floty objął go za szyję i serdecznie
ucałował w obydwa policzki.

— Pamiętam cię — powiedział z uśmiechem rozrzew-
nienia pan Kleks. — Pewnego dnia za karę odkręciłem ci

głowę, nogi oraz ręce i zamknąłem w walizce. Dawne to czasy, mój drogi Alojzy.

– Panowie – zawołał Pierwszy Admirał Floty – zajmijcie się naszymi gośćmi! Panie profesorze, proszę wyświadczyć mi zaszczyt i zjeść ze mną obiad.

Po tych słowach ujął pod ramię pana Kleksa i poprowadził go do kajuty admiralskiej. Tam każdy z nich opowiedział swoje dzieje, jako że nie widzieli się od lat trzydziestu. W toku rozmowy pan Kleks dowiedział się o założonym przed pół wiekiem państwie farmaceutów, które zaludniono aptekarzami z różnych krajów. Obecnie, pod berłem Pigularza II, opracowywane są wszelkie najnowsze leki: pigułki, krople, maści i mikstury, w które Przylądek Aptekarski zaopatruje apteki i drogerie całego świata.

– Ale my tu sobie gadu, gadu, a tymczasem obiad stygnie – rzekł wreszcie Pierwszy Admirał Floty. – Steward! Proszę podawać.

Obiad, którym uraczono pana Kleksa, składał się z dań nader osobliwych. Po zupie z dziurawca podano bitki z aloesu w sosie rumiankowym oraz sałatę z kwiatu lipowego, a na deser racuszki z siemienia lnianego polane sokiem miętowym. Na zakończenie obiadu wniesiono napój ze skrzypu i szałwi. Po obiedzie Pierwszy Admirał Floty zapalił papierosa dla astmatyków, zaciągnął się kilka razy i rzekł:

– Wracamy właśnie z podróży dookoła świata. Sprzedaliśmy nasze leki, a zakupiliśmy zioła lecznicze, które stanowią wyłączne pożywienie naszej ludności. Są zdrowe i bardzo smaczne. Nieprawdaż, panie profesorze?

– Hm... tak... owszem... – odparł uprzejmie pan Kleks, zapijając cierpkim napojem gorycz pozostałą w ustach po obiedzie.

Jak przystało na człowieka dobrze wychowanego, wyraził uznanie dla admiralskiej kuchni, ale jednocześnie ze smutkiem pomyślał o Bajdotach. Pogardzana przez nich zupa szczawiowa mogłaby dziś uchodzić za przysmak iście królewski.

Miłą pogawędkę starych znajomych przerwał kapitan „Pigularii", meldując Pierwszemu Admirałowi Floty, że widać już brzegi Przylądka Aptekarskiego i Obojga Farmacji.

– Wyjdźmy na pokład – zaproponował pan Kleks, albowiem dusił go dym z papierosów dla astmatyków.

Istotnie, trójmasztowiec szybko zbliżał się do portu. Na odległym wzgórzu widniało miasto. Szklane budowle połyskiwały w promieniach zachodzącego słońca.

Bajdoci nie ukrywali obrzydzenia i straszliwie wykrzywiali się na wspomnienie obiadu. Całe szczęście, że nikt z gospodarzy nie rozumiał ich języka. Oficerowie, a także marynarze „Pigularii" mówili wyłącznie po łacinie.

W pewnej chwili orkiestra zagrała tusz. Trójmasztowiec majestatycznie wpłynął do portu.

Stolica państwa zabudowana była długimi szklanymi pawilonami, które na podobieństwo gwiazdy zbiegały się przy centralnym placu. Stał na nim pomnik Magistra Pigularza I, założyciela miasta i odkrywcy witamin. W pawilonach wytwarzano leki, natomiast izby mieszkalne znajdowały się w podziemiach. Zresztą ludność Przylądka Aptekarskiego wynosiła zaledwie 5555 osób, w tym 555 kobiet. Resztę stanowili mężczyźni. Dzieci w ogóle nie było. Magister Pigularz II wynalazł tabletki odmładzające, dzięki którym ludność utrzymywała się stale i niezmiennie w tym samym wieku. Dlatego też zmiana pokoleń stała się zbędna, a dzieci – niepotrzebne. Ludności ani nie ubywało, ani nie przybywało.

Okazało się jednak, że tabletki odmładzające są ściśle strzeżone, a sekret produkcji znany jest wyłącznie władcy tego kraju.

– Czemu nie chcecie swym wynalazkiem uszczęśliwić ludzi na całym świecie? – zapytał pan Kleks jednego z dygnitarzy Obojga Farmacji.

– To całkiem proste – odrzekł zagadnięty. – Nie chcemy, aby również w innych krajach dzieci stały się niepotrzebne. Świat bez dzieci byłby smutny jak nasz przylądek.

Mówiąc to, dygnitarz połą kitla otarł łzę i ciężko westchnął.

Wróćmy jednak do Pierwszego Admirała Floty.

Po przybyciu do stolicy zaprowadził on niezwłocznie pana Kleksa do pałacu Magistra Pigularza II. Był to władca smutny i poważny. Jego biały kitel zdobiły haftowane złotem godła aptekarskie, a na głowie spoczywał wieniec z liści senesowych. W dłoni, zamiast berła, trzymał wielki termometr do mierzenia temperatury.

– Miło mi powitać tak słynnego uczonego – przemówił Pigularz II. – Pozwól, czcigodny gościu, że na dowód szczególnego wyróżnienia osobiście zmierzę ci temperaturę.

Mówiąc to, wsunął panu Kleksowi termometr pod pachę.

– Trzydzieści siedem i jeden... Ochmistrzu, proszę poczęstować naszego gościa aspiryną i dać mu do popicia wywar z kwiatu dziewanny.

Po wychyleniu tej zwyczajowej czary przyjaźni Pigularz II w otoczeniu świty udał się z panem Kleksem na zwiedzanie miasta. Na pałacowym dziedzińcu dołączyli do nich pozostali bajdoccy goście.

Gdy stanęli na centralnym placu, Udzielny Prowizor poinformował, że plac ten nosi nazwę Obojga Farmacji, stosownie do podziału leków na stałe i płynne. Następnie wskazał termometrem szklane pawilony i udzielił dalszych wyjaśnień:

– W każdym pawilonie wytwarza się określoną kategorię leków. W tym oto wyrabiamy krople, poczynając od walerianowych, a kończąc na kroplach do oczu. W następnym produkujemy oleje – rycynowy, lniany, kamforowy i tym podobne. W następnym – maści i smarowidła. Dalej – wywary z ziół. W tym najwyższym gmachu w kształcie młyna przyrządzamy proszki w stanie sypkim. W następnym pigułki, pastylki i tabletki. W tamtym zaś – cukierki ślazowe i eukaliptusowe od kaszlu. I tak dalej, i tak dalej. Wejdźmy jednak do środka.

Oszklone drzwi pawilonu rozwarły się na oścież i cały orszak znalazł się w ogromnej hali, gdzie kilkadziesiąt kobiet zajętych było rozlewaniem do buteleczek różnokolorowych specyfików, wywarów i mikstur. Wszystkie te kobiety były w jednakowym wieku, miały na sobie białe kitle i wyglądały tak samo jak mężczyźni. Różniły się od nich jedynie tym, że nie miały zarostu.

Podczas gdy goście zwiedzali pawilon i oglądali najnowsze urządzenia, młodsza służba farmaceutyczna roznosiła na tacach napoje ziołowe. Bajdoci krzywili się nieprzyzwoicie. Tylko pan Kleks dla ratowania sytuacji wychylał jedną szklankę po drugiej i udawał ukontentowanie. Nagle w jego oczach pojawił się czerwony błysk, co wskazywało na wielkie wzburzenie uczonego. Roztrącił otaczających go Bajdotów, podbiegł do jednej z tac i porwał stojącą na niej szklankę.

– Mam... Mam to, czego szukałem! – krzyknął głośno.

Szklanka wypełniona była po brzegi granatowoczarnym płynem.

– Atrament! – wołał pan Kleks. – Prawdziwy atrament! Podajcie mi papier i pióro!

– Niestety – rzekł Pierwszy Admirał Floty. – Jest to wywar z korzenia siedmioróżdżki. Wygląda jak atrament, ale brak mu trwałości. Posiada bowiem tę właściwość, że po ochłodzeniu ulatnia się i znika.

Mówiąc to, wziął szklankę z rąk pana Kleksa i całą jej zawartość wylał na kamienną posadzkę. Gorący płyn rozlał się czarną strugą, ale już po chwili uniósł się w górę w kształcie granatowej mgiełki, po czym zniknął, nie pozostawiając najmniejszego śladu.

– Niech diabli porwą wszystkie siedmioróżdżki – jęknął pan Kleks. – A wy, farmaceutyczne mądrale, czym piszecie? Mlekiem? Czy może wodą?

Nikt nie spodziewał się takiego wybuchu gniewu.

Zresztą pan Kleks natychmiast się zreflektował, stanął na jednej nodze i w tej skromnej pozycji prosił gospodarzy o przebaczenie.

– Powiedz, Alojzy, mój dawny uczniu, czym piszecie? – zapytał już całkiem spokojnie.

– W ogóle nie piszemy – odparł Pierwszy Admirał Floty. – Pisanie jest godne gryzipiórków, lecz nie farmaceutów. Po prostu każdy z nas w swoim dziale zna na pamięć tysiąc dwieście recept. I to nam wystarcza.

Pan Kleks błyskawicznie pomnożył 5555 przez tysiąc dwieście.

– Sześć milionów sześćset sześćdziesiąt sześć tysięcy – oświadczył z podziwem. – To rzeczywiście wystarczy.

– Ochmistrzu – rzekł Pigularz II – proszę poczęstować naszych gości chininą i dać im do popicia nalewkę na agawie.

Podczas gdy roznoszono tace, Pierwszy Admirał nachylił się do ucha pana Kleksa i rzekł poufnie:

– Czcigodny profesorze... Jesteśmy genialnymi farmaceutami, ale brak nam doświadczonych marynarzy. Chciałbym zwerbować pięciu Bajdotów do mojej floty. Proszę mi w tym dopomóc.

– Chyba zwariowałeś, Alojzy – żachnął się pan Kleks. – Spójrz na ich wykrzywione twarze i zapadnięte brzuchy... Pozdychaliby jak muchy na tych waszych ziółkach... Do takiego wiktu trzeba zaprawiać się od dziecka. Wybij to sobie z głowy, Alojzy.

I gniewnie prychając, wielki uczony odwrócił się plecami do swego wychowanka na znak, że nie zamierza więcej na ten temat rozmawiać. Gdyby się nie był odwrócił, dostrzegłby na twarzy Pierwszego Admirała wyraz takiej złośliwości i szyderstwa, że na pewno miałby się od tej chwili na baczności.

Istotnie, trudno jest uwierzyć w to, co stało się potem.

Pod wieczór pan Kleks postanowił opuścić Przylądek Aptekarski i wyruszyć w dalszą drogę. Ale wtedy okazało się, że pięciu Bajdotów zniknęło jak kamfora. Długotrwałe poszukiwania nie dały rezultatu.

– Proszę mnie zaprowadzić do Udzielnego Prowizora – zażądał wreszcie pan Kleks.

– Udzielny Prowizor, Magister Pigularz II, nie chce być nadal niepokojony przez cudzoziemców, którzy nie potrafili ocenić jego gościnności – oświadczył Pierwszy Admirał z szyderczym uśmiechem.

– Co to wszystko znaczy? – krzyknął groźnie pan Kleks. – Proszę o natychmiastowe wyjaśnienie. Znów zaczynasz swoje dawne sztuczki, Alojzy!

– Tak, tak! Zaczynam! – zawołał zuchwale Alojzy Bąbel. – Chce pan zobaczyć swoich zaginionych Bajdotów? Zaraz ich panu pokażę.

Z tymi słowy pociągnął pana Kleksa gwałtownie za połę surduta i tłumiąc śmiech, zaprowadził do podziemnych pomieszczeń. Z głębi korytarza dobiegał płacz niemowlęcia.

Pierwszy Admirał Floty pchnął jedne z drzwi i oczom pana Kleksa przedstawił się niezwykły widok. Na szerokim łóżku leżało pięcioro niemowląt w powijakach. Cztery ssały smoczki, a piąte wydzierało się wniebogłosy.

– Oto pańscy Bajdoci – rzekł z szatańskim chichotem Pierwszy Admirał. – Będą się zaprawiali od niemowlęctwa do naszego wiktu... Zgodnie z pańskim życzeniem, cha, cha, cha! Dostali dobrą porcję odmładzających pastylek! Nie żałowałem im! Nieźle ich odmłodziłem, co?! Cha, cha, cha!...

Pan Kleks w osłupieniu przyglądał się niemowlętom. Rozpoznał w nich swoich towarzyszy, gdyż rysy twarzy zostały niezmienione. Ten płaczący to był kapitan! Obok leżał bosman Terno, dalej Ambo i jeszcze dwaj marynarze.

– Słuchaj, Alojzy – rzekł pan Kleks zduszonym głosem, od którego można było dostać gęsiej skórki. – Słuchaj, Alojzy, zawsze byłeś zakałą mojej Akademii. Teraz widzę, że stałeś się zakałą ludzkości! Tym razem udało ci się wystrychnąć mnie na dudka. Ale ja wymyślę taką sztuczkę, że zostaną z ciebie trociny! Rozumiesz?! Tro-ci-ny! Zapamiętaj to sobie, Alojzy Bąbel!

Po tych słowach pan Kleks odwrócił się, opuścił pokój i ruszył korytarzem w stronę wyjścia. Gonił go chichot Alojzego i urywane wykrzykniki:

– Stara purchawka!... Nadęta ropucha, cha, cha, cha!...

Nad miastem zapadła noc. Oszklone pawilony jaśniały światłami. Pan Kleks pobiegł na plac Obojga Farmacji, gdzie Bajdoci, zbici w gromadę, siedzieli na gołej ziemi. Prócz nich na placu nie było nikogo.

– Głowy do góry! – zawołał pan Kleks. – Opuszczamy ten zwariowany kraj! Ruszamy w głąb lądu! Przyszłość przed nami! Straciliśmy wprawdzie pięciu towarzyszy, ale jest nas jeszcze dwudziestu dwóch. Za mną!

Ten wielki człowiek nigdy nie tracił nadziei. Wysunął do przodu swoją rozłożystą brodę i pewnym krokiem pomaszerował w przepastne mroki nocy. Miał bowiem taki dar, że widział w ciemności. Za nim po omacku wlekli się wygłodniali i znękani marynarze.

Postać pana Kleksa olbrzymiała w migotliwym świetle gwiazd.

Tak, moi drodzy. To był człowiek naprawdę niezwykły.

Katastrofa

Kawalkada maszerowała przez całą noc.

Celem rozweselenia Bajdotów pan Kleks bez przerwy opowiadał im swoje prawdziwe i zmyślone przygody, wspominał o historii z Alojzym, o doktorze Paj-Chi-Wo, a nawet o księciu przemienionym w szpaka Mateusza. Wszystkie te opowieści nie mogły jednak napełnić pustych żołądków marynarzy.

Z trudem posuwali się w głąb lądu. Gorący tropikalny wiatr wysuszał im wargi i potęgował pragnienie.

Pan Kleks nawet bez mapy orientował się w położeniu geograficznym. Polegał na przedziwnych właściwościach swojej brody, która nie tylko wskazywała kierunek marszu, ale nadto zapowiadała bliskość wody i jadła.

– Głowy do góry! – wykrzykiwał raz po raz pan Kleks. – Zbliżamy się do rzeki... Czuję zapach ananasów i daktyli... Skrzyżowanym spojrzeniem widzę nawet orzechy kokosowe... Przygotujcie się do śniadania!

Słowa pana Kleksa dodawały Bajdotom siły i otuchy. Przyspieszali kroku i łykali ślinkę na myśl o soczystych owocach.

Przejście nocy w poranek nastąpiło szybko i niepostrzeżenie. Przed oczami podróżników rozpościerał się krajobraz pełen bujnej zieleni, kolorowych ptaków i ogromnych motyli. W gąszczu zarośli niezliczone owady szumiały i pobrzękiwały jak srebrne monety. Opodal piął się w górę bambusowy gaj.

Niewyczerpana wynalazczość pana Kleksa podsunęła mu szczególną myśl.

– Potrzebne mi są wasze siekierki i noże! – zawołał do Bajdotów. – Z tych bambusów zrobimy sobie szybkobieżne szczudła!

Marynarze z zapałem zabrali się do roboty. Po upływie pół godziny każdy z nich trzymał w rękach dwa wysokie bambusowe drągi. Z rzemiennych pasów skonstruowano uchwyty do stóp na podobieństwo strzemion.

– Ruszamy! – zakomenderował pan Kleks. – Śmiało! Nie bać się! Wykorzystywać giętkość bambusu! Sprężynować! Sprężynować!

Istotnie wysokie szczudła dzięki swej elastyczności pozwalały odbijać się od ziemi. Bajdoci posuwali się więc w podskokach, długimi susami, ze zwinnością koników polnych. Tylko pan Kleks posługiwał się jednym bambusem i wykonywał gigantyczne skoki o tyczce, wyprzedzając marynarzy. Wierzcie mi, moi drodzy, że lekkość, z jaką wielki uczony wylatywał w górę i opadał na ziemię o pół mili dalej, wzbudzała powszechny podziw. Odnosiło się wrażenie, że pan Kleks przeobraził się w kangura, a niektórym Bajdotom wydawało się nawet, że rozwiane poły surduta zastępują mu skrzydła.

Podróż na szybkobieżnych szczudłach odbywała się z taką szybkością, że pan Kleks co chwila wykrzykiwał ze szczytu swojej tyczki:

– Przebyliśmy dziesięć mil!... Hop!... Znowu przebyliśmy dziesięć mil!... Hop!... Jeszcze tylko sto mil i będziemy u celu... Lecimy dalej!... Sprężynować!... Hop!

Po godzinie w oddali ukazały się wreszcie palmy. Wygłodniali Bajdoci rzucili się chciwie na zwisające wśród gałęzi owoce. Łapczywie pożerali ananasy, rozbijali siekierkami orzechy kokosowe i duszkiem wypijali orzeźwiające mleko.

– Szanujcie się! – wołał pan Kleks. – Miarkujcie żarłoczność! Pochorujecie się z przejedzenia! Czy macie ochotę wracać do pigularzy po olej rycynowy?

Na wspomnienie Przylądka Aptekarskiego Bajdoci opanowali łakomstwo, zeszli ze szczudeł, pokładli się na ziemi i głośno sapiąc, oddali się trawieniu. Dopiero wtedy pan Kleks za pomocą tyczki zerwał pęk daktyli i spożył skromne śniadanie, bowiem jadał na ogół nie-

wiele. Najchętniej żywił się przez sen potrawami, które mu się śniły.

Po dłuższym wypoczynku podróżnicy ruszyli ku rzece, wypatrzonej przez pana Kleksa w odległości pięćdziesięciu mil na południe.

– Widzę ją! – wołał wielki uczony, dając potężne, półmilowe susy o tyczce. – Będziemy mieli wspaniałą kąpiel, o ile nie schrupią nas krokodyle. Bardzo cenię te poczciwe stworzenia. One wcale nie zdają sobie sprawy, że ludzie nie lubią, aby ich pożerano. Ja im to wytłumaczę. Umiem przemawiać do zwierząt... Skończyłem w Salamance Instytut Języków Zwierzęcych... Znam także niektóre narzecza ptaków i owadów... Doktor Paj-Chi-Wo umiał porozumiewać się nawet z rybami. Ale do tego trzeba mieć trzecie ucho. Patrzcie. Oto jesteśmy na miejscu!

Niebawem podróżnicy znaleźli się nad brzegiem niezmiernie szerokiej rzeki. Leniwe fale barwy piwa toczyły się wolno i majestatycznie, tworząc gdzieniegdzie wiry pokryte pianą. Od wody niosło orzeźwiającym chłodem. W przybrzeżnym rozlewisku wygrzewały się na słońcu krokodyle.

Pan Kleks zdjął trzewiki i skarpetki, podwinął do kolan nogawki spodni, po czym wszedł do wody. Krokodyle poruszyły się niespokojnie. Pan Kleks odważnie posuwał się w ich kierunku. Krokodyle rozwarły paszcze, a jeden z nich głośno kłapnął i groźnie uderzył ogonem o wodę. Pan Kleks nieustraszenie szedł dalej. Wreszcie zbliżył się

do krokodyli i wygłosił do nich długie przemówienie, gestykulując przy tym obydwiema rękami. Bajdoci nie słyszeli tego, co mówił wielki uczony. Zobaczyli jedynie, jak krokodyle, potulnie kiwając łbami, cofnęły się do tyłu, a po chwili zanurzyły się w nurtach rzeki i odpłynęły daleko od brzegu.

Tak, tak, moi drodzy. Pan Kleks był naprawdę człowiekiem niezwykłym.

Kiedy wrócił do swoich towarzyszy, zdawało się, że kończy jeszcze rozmowę z krokodylami, wypowiadał bowiem jakieś niezrozumiałe słowa, które brzmiały mniej więcej tak:

– Kra-ba-ba kru... kru-kra-bu... bukru-kru kra...

Trudno jednak uwierzyć, aby tak właśnie brzmiał krokodyli język.

Podróżnicy szybko rozebrali się i wskoczyli do wody. Zażywali kąpieli, pływali, nurkowali i wrzeszczeli z rozkoszy jak banda dzikusów. Pan Kleks pluskał się przy brzegu w koszuli i w długich kalesonach. Miał bowiem na ciele magiczny tatuaż, który otaczał wielką tajemnicą. Może był tam słownik wyrazów zwierzęcych? A może chińskie formułki mądrości doktora Paj-Chi-Wo? Nikt nie potrafiłby tego odgadnąć, tak jak nikt nie zdołałby zgłębić niezwykłego umysłu pana Kleksa.

Po kąpieli podróżnicy jeszcze raz się posilili, po czym na rozkaz wielkiego uczonego zabrali się do budowania tratwy. Powiązali pasami bambusowe szczudła, pokryli je warstwą palmowych liści, dokoła zaś umocowali pływaki z drzewa korkowego.

Pan Kleks przyglądał się pracy Bajdotów i z właściwym mu znawstwem kierował budową tratwy.

Tak, tak, moi drodzy. Pomysłowość pana Kleksa była naprawdę niewyczerpana.

O godzinie piątej czasu podwieczorkowego wielki uczony zarządził zbiórkę i przemówił do Bajdotów:

– Nie traćmy z oczu głównego celu naszej wyprawy. Bajdocja czeka na atrament i musimy jej tego atramentu dostarczyć! Niech nazywam się Alojzy Bąbel, jeśli nie dotrzymam obietnicy danej Wielkiemu Bajarzowi! Bosman Kwaterno! Wystąp! Mianuję cię kapitanem. Zarządzam zaokrętowanie załogi! Spocznij!

Wkrótce tratwa odbiła od brzegu. Pan Kleks stał na przedzie na jednej nodze i patrząc w dal, rozczesywał palcami swoją rozłożystą brodę. Na jego ramieniu usiadła kolorowa papuga i dziobała go w ucho. Ale pan Kleks nie zwracał na to uwagi. Obliczał w myślach odległość do nieznanego kraju i niebawem ustalił, że leży on na prawym brzegu, za dwudziestym siódmym zakrętem rzeki.

– Nie traćmy nadziei – powiedział wreszcie półgłosem. – Niech nazywam się Alojzy Bąbel, jeśli wrócę do Bajdocji z pustymi rękami.

Kapitan Kwaterno dzielnie prowadził tratwę. Przy sterze czuwał doświadczony sternik Limpo. Nadzy do pasa marynarze po kilku dniach opalili się na brąz. Jedynie pan Kleks nie sprzeniewierzał się swoim zwyczajom. Trwał na posterunku w surducie i kamizelce, w sztywnym kołnierzyku, z fantazyjnie zawiązanym krawatem. Był to człowiek nie tylko wielkiego umysłu, ale również niezłomnych zasad.

Po dwóch tygodniach spokojnej żeglugi nastąpił okres tropikalnych burz. Deszcz lał strumieniami, błyskawice rozdzierały czarny pułap chmur, a pioruny jak opętane biły w przybrzeżne drzewa.

Tu i ówdzie wybuchały pożary, wywołując popłoch wśród ptaków. Hipopotamy i krokodyle kotłowały się w wodzie i nurkowały po każdym uderzeniu pioruna.

Zdawało się, że natura sprzysięgła się przeciwko podróżnikom. Tratwa ślizgała się z fali na falę, przybierając chwilami pozycję niemal pionową, pogrążała się w spienionym nurcie i wypływała znów na powierzchnię. Załoga kurczowo trzymała się skórzanych spojeń, ratując równocześnie marynarzy, których zmywała wzburzona fala.

Na prawym brzegu rzeki płonęły lasy. Lewego w ogóle nie można było dosięgnąć wzrokiem.

Burze morskie mogły uchodzić za niewinną igraszkę wobec tego rozszalałego nurtu, pełnego wirów, obalonych przed wiekami pni drzewnych, oszalałych zwierząt i płazów.

Nieustraszony pan Kleks, balansując to na jednej, to na drugiej nodze, stał z rozwianą brodą na przedzie tratwy.

– Głowy do góry! – wołał do leżących na brzuchach Bajdotów. – Płyniemy zgodnie z planem! Zostało nam tylko osiemnaście zakrętów! Zbliżamy się do celu! Nie bać się! Jestem z wami!

Dla dodania otuchy marynarzom pan Kleks igrał z niebezpieczeństwem. Od czasu do czasu wskakiwał na grzbiet przepływającego obok hipopotama, klepał go po łbie i wykrzykiwał donośnie:

– Hip-hip! Hi-po! Hi-po-po! Tam-tam! Wiśta!

Po odpłynięciu na znaczną odległość pan Kleks odbijał się od zadu hipopotama i dawał susa z powrotem na tratwę. Wykonywał przy tym w powietrzu ruchy rękami jak zawodowy pływak.

Po każdej takiej przejażdżce na hipopotamie wyciągał z kieszeni kilka tuzinów latających ryb, które złowił po drodze, i rzucał je zgłodniałym marynarzom. Bajdoci tarli jedną rybę o drugą tak długo, aż pod wpływem wytworzonego ciepła traciły smak surowizny. Po tym zabiegu patroszyli je i zjadali z wielkim apetytem.

Pewnej nocy, gdy burza jeszcze szalała, pan Kleks oświadczył:

– Kapitanie, chciałbym zdrzemnąć się godzinkę. Niech pan liczy do dziesięciu tysięcy, a potem proszę mnie obudzić.

Po tych słowach przywiązał się dla bezpieczeństwa brodą do krawędzi tratwy i zapadł w głęboki sen. Jego chrapanie zagłuszało huk grzmotów.

W chwili, gdy kapitan doliczył już do siedmiu tysięcy dwustu dwudziestu czterech, nastąpiło owo straszliwe wydarzenie, które wielu kronikarzy zanotowało jako największą katastrofę tamtych czasów.

Otóż wyobraźcie sobie, że nagle – kiedy już wiatr nieco ucichł, a burza miała się ku końcowi – jeden z ostatnich piorunów uderzył w tratwę, przetoczył się w poprzek i odciął jak nożem tę część, na której spał pan Kleks.

Był to wąski skrawek, szerokości półtora łokcia. Oderwany od tratwy i porwany przez prąd, pomknął w zawrotnym pędzie w dół rzeki, unosząc na sobie śpiącego pana Kleksa.

Kapitan Kwaterno usiłował dogonić wpław uciekający odcinek tratwy, ale krokodyle zastąpiły mu drogę. Bajdoci z trudem zdołali wyratować kapitana z opresji. W dodatku trafili na wir, który kołował ich tak długo, że całkiem stracili z oczu pana Kleksa, aczkolwiek płonący las oświetlił rzekę.

Oderwana tratewka płynęła coraz szybciej. Wielki uczony spał, chrapiąc i pogwizdując. Obudził się dopiero koło południa, gdy burza już całkiem ustała. Leniwe fale znowu toczyły się spokojnie i majestatycznie. Poprzez rzednące chmury przezierały promienie słońca.

Pan Kleks przeciągnął się, rozsupłał brodę, ziewnął i zawołał wesoło:

– Kapitanie! Wypogodziło się! Głowa do góry!

Ale ani kapitan, ani żaden z marynarzy nie podniósł głowy do góry. Byli zbyt daleko, aby słyszeć głos uczonego. Przy dwudziestym pierwszym zakręcie rzeka się rozwidlała i tratwa Bajdotów popłynęła w niewłaściwym kierunku, do zupełnie innego kraju, którego nikt jeszcze nie odkrył i dlatego do niedawna nie było go na żadnej mapie świata. Dopiero po piętnastu latach pewien znakomity podróżnik odnalazł rozbitków. Żyli sobie wśród tubylców, w otoczeniu żon i dzieci, hodowali drób, a kapitan Kwaterno obwołany został królem i panował jako Kwaternoster I.

Ale to już całkiem inna historia, którą być może napiszę w przyszłości albo nawet jeszcze później.

Na razie jednak wróćmy do pana Kleksa.

Otóż w chwili, kiedy nasz wielki uczony zawołał: „Głowa do góry!", spostrzegł, że jest zupełnie sam. Wtedy szybko zrobił zeza do środka, skrzyżował spojrzenia i zdwoił siłę wzroku, co pozwoliło mu dojrzeć w odległości pięćdziesięciu mil tratwę Bajdotów. Ale było już za późno. Zamiast w prawą odnogę rzeki tratwa popłynęła w lewą i zniknęła z pola widzenia.

Sławna i dzielna załoga bajdockiego statku „Apolinary Mrk" odłączyła się na zawsze od pana Kleksa, a zdradliwe fale uniosły ją w nieznane.

Wielki uczony został sam. On, który umiał poskramiać rekiny i krokodyle, który potrafił okiełznać hipopotama, stał teraz na jednej nodze, z rozpostartymi rękami i rozwianą brodą, rozmyślając nad losem towarzyszy wyprawy.

Po chwili zaczął głośno mówić do siebie, jako że lubił rozmawiać z mądrymi ludźmi:

– No tak... Oczywiście... Wszystko możemy przewidzieć, mój Ambroży... Bajdoci popłynęli na południowy zachód... Za jedenaście dni dopłyną do nieznanego kraju... Wiemy, że ten kraj istnieje... Oznaczyliśmy go swego czasu na naszej mapie nazwą Alamakota... W porządku... Dalej wszystko wiadomo... Głowa do góry, Ambroży! Wyprawa trwa!...

Po tych słowach, pełnych otuchy i nadziei, pan Kleks obliczył przebyte zakręty rzeki:

– Zgadza się – powiedział, obciągając surdut i poprawiając krawat. – Za pół godziny zawiniemy do portu.

Położył się na brzuchu i zaczął rękami sterować w kierunku brzegu. W oddali na wyniosłości widniały jakieś zabudowania.

Nibycja

Kraj, w którym wylądował nasz uczony, zamieszkiwały istoty ludzkie, ale po raz pierwszy zdarzyło się, że pan Kleks kroczył niezauważony, nie budząc zainteresowania ani swoją niezwykłą postacią, ani osobliwym ubiorem.

Mieszkańcy miasta chodzili parami i uśmiechali się filuternie. Mieli na sobie barwne chitony tak lekkie i połyskujące, że ciała ich wydawały się przejrzyste. Również twarze tych dziwnych istot odznaczały się nieuchwytnością rysów i chwilami sprawiały wrażenie, jakby nie było w nich nic oprócz uśmiechów.

Domy stały wzdłuż ulic, ale składały się wyłącznie z okien i balkonów.

Na klombach rosło mnóstwo kolorowych kwiatów. Pan Kleks zerwał jeden z nich, od razu jednak spostrzegł, że kwiat stracił barwę i zapach, a nawet trudno było wyczuć go dotykiem palców.

Uśmiechnięte istoty snuły się po ulicach. Niektóre pracowały. Ale wykonywane przez nie czynności były nieuchwytne dla oka. Wbijały niewidzialne gwoździe, piłowały drewno, chociaż ani piły, ani drewna nie można było zauważyć. W pewnej chwili ulicą przemknął jakiś mężczyzna w postawie jeźdźca, rozległ się nawet tętent kopyt, ale koń był zgoła niedostrzegalny.

Pan Kleks przez dłuższy czas przyglądał się ciekawie tym wszystkim zjawiskom. Wreszcie stracił cierpliwość i zbliżył się do jednego z przechodniów.

– Proszę mi wyjaśnić, gdzie właściwie jestem? Jak się ten kraj nazywa?

Zagadnięty obdarzył go filuternym uśmiechem i przez chwilę poruszał ustami, jakby mówił, ale głos jego pozbawiony był dźwięku, a zdania składały się ze słów bezkształtnych jak oddech.

Pan Kleks, który nigdy nie tracił przytomności umysłu, szybkim ruchem wyłuskał jeden włos ze swojej brody i owinął go dokoła ucha. Niedosłyszalne dźwięki uderzały we włos jak w antenę i wzmocnione w ten sposób docierały do bębenków pana Kleksa.

Teraz rozmowa potoczyła się składnie, a opowiadanie przechodnia stało się zrozumiałe.

– Czcigodny cudzoziemcze – mówił z filuternym uśmiechem. – Kraj nasz nazywa się Nibycja. Chyba zauważyłeś, że u nas wszystko odbywa się na niby? Wywodzimy się z bajki, której nikt dotąd nie napisał. Dlatego też na niby są nasze ulice, domy i kwiaty. My również jesteśmy na niby. Właściwie jeszcze nie istniejemy. Dopiero w przyszłości jakiś bajkopisarz nas wymyśli. Jesteśmy zawsze uśmiechnięci, ponieważ nasze troski i zmartwienia są też tylko na niby. Nie znamy ani prawdziwych smutków, ani prawdziwych radości. Nie odczuwamy prawdziwego bólu. Można nas drapać, kłuć, szczypać, a my będziemy się uśmiechali. Taka jest Nibycja i tacy są Nibyci. Wszystko tylko na niby.

– Przepraszam – przerwał pan Kleks, któremu już od dawna dokuczał głód. – A w jaki sposób się odżywiacie?

– To bardzo proste – odparł Nibyta i dał znak przechodzącej w pobliżu kobiecie. Kobieta weszła do jednego z domów i po chwili wróciła z półmiskiem, na którym dymił apetycznie befsztyk obłożony smażonymi kartofelkami i jarzynką.

– Befsztyk z polędwicy to nasze ulubione danie – ciągnął Nibyta. – Posil się, czcigodny cudzoziemcze.

Pan Kleks ochoczo zabrał się do jedzenia, spałaszował wszystko, co było na półmisku, ale w żołądku nadal odczuwał pustkę. Miał wrażenie, że połknął powietrze i tylko w ustach pozostał mu smak wybornej potrawy. Befsztyk na niby nie zawierał w sobie nic prócz smaku. To jeszcze bardziej podrażniło głód pana Kleksa, ale opanował się i udawał najedzonego.

Nagle w oddali dostrzegł inną kobietę, niosącą pękatą butlę czarnego płynu.

– Co niesie ta kobieta? – zawołał, nie panując nad wzruszeniem. – Błagam cię, powiedz, co ona niesie?

– Ech, to po prostu atrament – odrzekł Nibyta. – Czyżby interesował cię atrament, czcigodny cudzoziemcze?

Pan Kleks, jak wyrzucony z procy, dał susa ponad głowami przechodniów, porwał z rąk kobiety butlę i zanurzył palec w czarnym płynie. Na palcu nie został nawet ślad atramentu. Wtedy pan Kleks przechylił butlę i polał sobie dłoń czarną cieczą. Ręka pozostała czysta i sucha.

– Do diabła z takim atramentem! – ryknął pan Kleks i grzmotnął butlą o ziemię. Atrament rozprysnął się na wszystkie strony, ale śladów nie było ani na ziemi, ani na odzieży przechodniów. Nawet szkło z potłuczonej butli ulotniło się i zginęło.

Nibyta zbliżył się do pana Kleksa.

– Zapomniałeś, że jesteś w Nibycji – rzekł z filuternym uśmiechem. – Przecież atrament mamy także na niby.

Wielki uczony milczał. Dokoła parami snuli się przechodnie, nie zwracając na niego uwagi. Nawet nie dostrzegli wybuchu jego gniewu ani przykrego zajścia z atramentem. Wszyscy uśmiechali się filuternie, jakby chcieli powiedzieć: „Przecież to wszystko jest tylko na niby".

Gdy po pewnym czasie pan Kleks ocknął się z odrętwienia, znajomy Nibyta już odszedł, a raczej rozpłynął się w tłumie. Zresztą i tłum rozpływał się w niebieskiej mgle zmierzchu, a tylko tu i ówdzie widniały jeszcze filuterne uśmiechy.

Pan Kleks szybkim krokiem ruszył przed siebie, pragnąc opuścić ten nieistniejący kraj. Skręcił w prawo, ale okazało się, że idzie w lewo. Gdy postanowił iść w lewo, okazało się, że skręca w prawo. Błądził po ulicach, które nie były równoległe ani poprzeczne. Krążył po placach zawieszonych w powietrzu jak mosty, wracał raz po raz na to samo miejsce, z którego rozpoczął wędrówkę, ale znajome ulice przybierały co chwila inny wygląd.

Broda pana Kleksa poruszała się niespokojnie, myląc kierunek. W zapadającym zmierzchu snuły się tu i ówdzie cienie niewidzialnych dla oka postaci. Lampy zapalone w oknach połyskiwały, nie dając światła.

Pan Kleks coraz szybszym krokiem przebiegał kręte ulice, mijał tajemnicze przejścia, przemykał pod arkadami nieistniejących domów i nie mógł znaleźć wyjścia z tego dziwnego miasta. Sapał ze zmęczenia, ale nie tracił nadziei, że w końcu uda mu się przedostać do jakiegoś rzeczywistego kraju.

W pewnej chwili, kiedy stał na jednej nodze głęboko zamyślony, z pobliskiego zaułka wybiegł pies, który właściwie nie był psem, a tylko zarysem psiego kształtu. Przypominał tyleż pudla, co jamnika, a równocześnie mógł uchodzić za szpica, chociaż ogon miał krótki jak foksterier.

Pies podszedł do pana Kleksa, przez chwilę obwąchiwał go pilnie ze wszystkich stron, po czym przyjaźnie merdając ogonem, zaczął ocierać się o nogi. Nasz uczony przemówił kilka słów w psim języku, a nawet szczeknął przymilnie, jak to czynią zazwyczaj kundle, gdy spotykają kogoś obcego.

Pies, który nie był właściwie psem, odpowiedział dwukrotnym bezdźwięcznym szczeknięciem.

Było to całkiem oczywiste, że zgodnie z psim charakterem nie może oprzeć się przyjaznym dla człowieka uczuciom. Podskakiwał radośnie, obiegał i wracał, węszył, merdał ogonem i wszelkimi sposobami pragnął wyrazić swoje zadowolenie. Ten nibycki pies, istniejący tylko na niby, krył w sobie widocznie miejsce na prawdziwe psie serce, bowiem łasił się do pana Kleksa, świadcząc mu przywiązanie i okazując właściwą psiej naturze wierność, której nie miał komu okazać.

Pana Kleks przykucnął i pozwolił lizać się po twarzy, chociaż liźnięcia te były niewyczuwalne. Głaskał psi łeb, domyślając się jedynie pod palcami miękkiej sierści i wilgotnego nosa.

Po wymianie wzajemnych serdeczności nibycki pies, który był psem tylko na niby, dał panu Kleksowi do zrozumienia, żeby szedł za nim. Droga prowadziła przez labirynt uliczek, to w jednym, to znów w przeciwnym kierunku, z góry i pod górę, tędy i owędy.

Pan Kleks ufnie kroczył za swoim przewodnikiem, aż wreszcie znalazł się w starym, zapuszczonym parku. Osobliwa roślinność i rzadkie gatunki drzew robiły jednak wrażenie całkiem prawdziwych. Przedzierając się przez gąszcze bujnego zielska, nasz uczony z radością parzył sobie ręce o pokrzywy i upewniał się w ten sposób, że opuścił już granice Nibycji i wrócił znowu do rzeczywistego świata. Równocześnie zauważył, że jego czworonożny przewodnik znikł. Tylko w oddali słychać było szum wiatru podobny do żałosnego psiego skomlenia.

– Żegnaj, piesku – szepnął ze smutkiem pan Kleks, gdyż przypomniał sobie pudla, którego stracił przed dwoma laty. Gotów był nawet przypuszczać, że to cień wiernego psa przybiegł z tamtego świata, aby wyprowadzić swego dawnego pana z Nibycji.

W parku dwa gadające szpaki prowadziły ze sobą rozmowę, która zainteresowała pana Kleksa.

– Poznajesz tego brodacza? – spytał jeden.

– Poznaję – odparł drugi. – Pamiętam, jak przed rokiem wsiadał na statek, żeby udać się po atrament.

– Tra-tra-trament! – zawołała sroka i poleciała w kierunku wysokiego muru, którego wieżyczki rysowały się w oddali.

„Tam będzie wyjście" – pomyślał pan Kleks i przyspieszył kroku, zaczepiając brodą o krzaki berberysu i głogu.

Istotnie, w murze, który ciągnął się na całą szerokość parku, widniały jedna przy drugiej niezliczone furtki okute żelaznymi listwami. Na każdej furtce umieszczona była zmurszała tablica z napisem pokrytym liszajem rdzy.

Pan Kleks, wytężając wzrok, przystąpił do odczytywania napisów. Zawierały one dobrze mu znane nazwy geograficzne. Niektóre z nich wymawiał głośno i dobitnie:

Bajdocja
Abecja
Patentonia
Wyspy Gramatyczne
Kraj Metalofagów
Parzybrocja
Przylądek Aptekarski

„Wszystko to jest już poza mną" – pomyślał i szybko zaczął przeszukiwać przepastne kieszenie swoich spodni.

– Mam! – zawołał wesoło, wyciągając z nich srebrny, uniwersalny kluczyk.

Podbiegł do furtki z napisem „Bajdocja". Kluczyk pasował. Zardzewiały zamek zgrzytnął, zaskrzypiały zawiasy, posypał się mur i furtka ustąpiła. Pan Kleks pchnął ją z całej siły. Oczom jego ukazało się znajome miasto, a pośrodku wysoka góra Bajkacz.

Pan Kleks odetchnął z ulgą, zatrzasnął za sobą furtkę i ruszył w kierunku marmurowych schodów. Przeskakując

po kilka stopni, wbiegł na sam szczyt góry i stanął u bram
pałacu Wielkiego Bajarza. Z tarasu rozpościerał się widok
na tonącą w kwiatach Klechdawę. Z oddali dolatywał chóralny śpiew bajdockich dziewcząt i dźwięki bajdolin.

Ale pan Kleks nie widział nic i nic nie słyszał. Wszedł
do pałacu i minął dwadzieścia siedem sal, w których zasiadali Bajdałowie tudzież inni dostojnicy państwowi.

Nikogo jednak nie dostrzegał ani nie odpowiadał na pozdrowienia. Jego twarz wyrażała niezwykłe napięcie, a w mózgu lęgły się czarne myśli, które spływały do serca, przenikały do krwi, ogarniały całe jestestwo.

W Sali Hebanowej stanął nieruchomo, wysiłkiem woli wstrzymał oddech i zastosował słynną metodę doktora Paj-Chi-Wo, zwaną „Spiralnym kręćkiem pępka". Dzięki temu skomplikowanemu ćwiczeniu doprowadził wnętrzności do całkowitej przemiany, a jednocześnie przeobraził odpowiednio swój kształt zewnętrzny. Podobny zabieg wolno stosować wyłącznie w wypadkach skrajnej ostateczności.

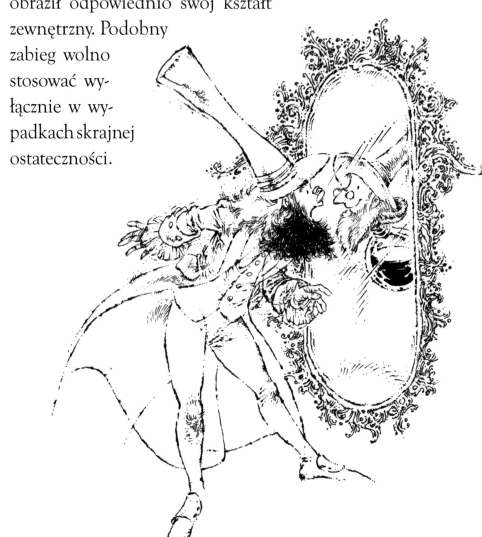

Tak, tak, moi drodzy! Ten wielki człowiek zdolny był do wielkich poświęceń, zwłaszcza jeżeli w grę wchodził honor i poczucie obowiązku.

Toteż kiedy pan Kleks wszedł wreszcie do ostatniej sali i na przeciwległej ścianie zobaczył zwierciadło, zbliżył się do niego, stanął na jednej nodze i zaczął się przyglądać własnemu odbiciu.

Oto w lustrze odbijała się pękata butla płynu, zamknięta kryształowym korkiem w kształcie główki. Główka ta była jak dwie krople wody podobna do głowy pana Kleksa. Przemknęła przez nią jedna tylko myśl:

„A więc spełniłem obietnicę! Nie będę nazywał się Alojzy Bąbel!"

Inne myśli okazały się już niepotrzebne, gdyż właśnie w tym momencie Wielki Bajarz sięgnął po butlę, zanurzył pióro w atramencie i z wielkim ukontentowaniem zaczął kaligrafować na pięknym czerpanym papierze tytuł swojej najnowszej bajki:

Podróże pana...

Nie dokończył jednak, gdyż z pióra spadł ogromny czarny kleks i rozpłynął się po papierze.

Trzeba było sięgnąć po następny arkusz i zacząć pisać na nowo.

Spis treści

Prowadź, prowadź, prowadź, prowadź, kapitanie, okręt szybki! Daj nam, daj

Niech nam żyje Wielki Bajar

am na śniadanie złote rybki!

niej hasło t Niech nam ż

dy siły swe podwajasz, Brzmi donośniej ha